제33화 GREETING

제33화
GREETING

…묵직해.
묵직하면서도 날카로운…
저음…!
지금 솔로는 트럼펫….
하지만… 그런데도…
귀를,

피아노의 저음이 자아내는 멜로디가 완전히 사로잡아 버려——!!

가게에
막 들어온
순간부터…
쭉
저 자세야….
쭈ー욱
저음의
연속….
9
스윽
……
…끝내
준다.

당당 당당!
트럼펫과 피아노가 번갈아 연주를!!

당당
타당

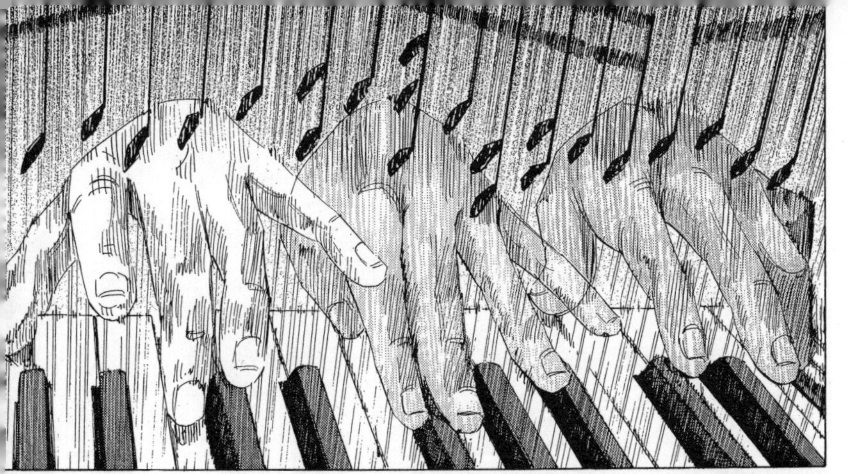

우와~아!!

타라라
탕 탕
번갈아 연주도
왼손만으로 다 해내는 건가?!
빠라 빠빠 빠빠라빠
꽉
꾹
꽉
꾹

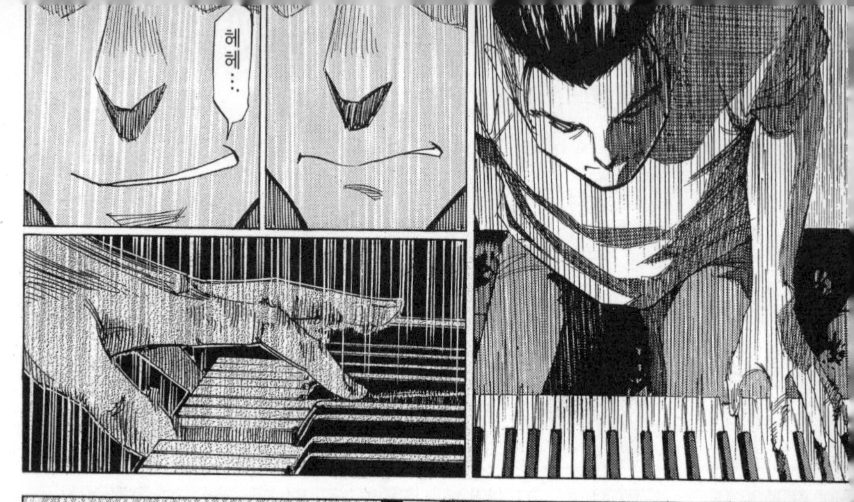
헤헤…

우오~옷!!
점점 더
강해지고
있잖아!!
이런 건
처음
들어―!!

이런
녀석은
처음
봐!!

13

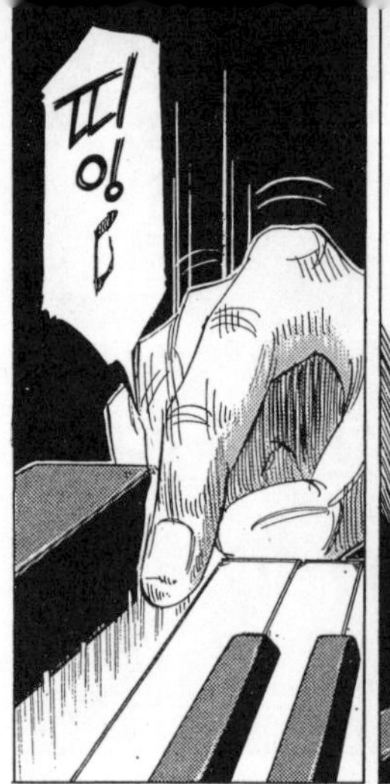
띠잉

머…
멋져~어!!

짝 짝 짝 짝 짝 짝
누구지?! 저 피아노?!
글쎄~?!
역시 사와베 군이라니까—.
젊은 나이에… 제법이야, 거 참.

으—음….
저, 손님….

……!!
음료,
뭐로 하시겠습니까…?

아… 맞다…. 저… 그럼 콜라로 주세요.
알겠습니다.

그럼 난 좀 쉰다—. 기운이 다 빠지네.
그럼 다음은 내가.

젠장~… 내 색소폰만 있었어도…
난 다음 주 초부터 나카노 라이브 하우스야.

하즈키 미나의 보컬로.

그립다—. 옛날에 자주 TV에서 노래 불렀지?

카즈 씨는 다음 주 어디야?
아무 데도. 당최 오퍼가 와야 말이지.

레코딩은? 끝났나?
씰룩
…레코딩?

끝났지, 끝났어. 나야 백그라운드에서 한 곡 뽑은 게 다야, 그냥 살짝.
그냥 살짝? 말은 그렇게 해도 좋겠어, 쿠마 씨는. 쭉 현역이잖아.

다들…
요시 씨도 아직 현역이면서 뭘 그래.
음악으로 먹고 사는… 프로뮤지션인가?
지금도 악기만으로 먹고 사나?
그런 건 다 옛날 얘기야, 옛날 얘기.

오른쪽도 왼쪽도…
레슨으로 푼돈이나 버는 거야
이제나또 연금 타먹고 살아야 해
사방에서 음악 얘기를 하고 있어….
옛날엔 참~…
여기저기 불려 다녔는데 말이야~…

웅성
웅성
웅성
웅성

부스럭부스럭

그건
그렇고
아까 그
피아니스트
…

끝까지
왼손만…
저음
만이었는데
양손으로
연주했으면
어땠을까….
쉬—!

그 녀석의
멜로디가—

아직도
머릿속에서
울리고
있어—.
불쑥
크다!!
응…?

!!
피아니스트!!

키…
크다!!
가까이서
보니까
꽤 젊은데…!!
크다~…
…응?
응?
ㅇㅇㅇㅇ
으응?!

으악…
이 자식….

'크다' 라니…
뭐… 뭘 보고 있는 거야, 이 자식 ….

참 내….

쏴
알토? 테너?
굳은 살이 엄청 큰데.

…응?
오른쪽 엄지 손가락.

색소폰 이지?

응—?
구… 굳은 살?

이거?!
이거 였구나 ~?!

너—.
이 가게 오는 사람치고는 젊은데…

몇 살이야?

18….
열여덟
살이요.
열
여덟….

흐—음…
열
여덟…
이라.

덥석
우리
잠깐

밖에
나갈까?
네…에?!

삑
덜컹

자.
BLAC

※다이는 한자로 '大'라고 쓴다.

대…
대뜸?
센다이
사투리로
'엄청' 이나
'무지무지'
뭐
그런
뜻이
에요.
다이,
재즈
연구회야?
어디
대학?
아뇨,
전 고등학교
졸업하고 바로
도쿄 올라와서
알바하고
있어요.
유키노리
씨는요?

흐
—
음.
꿀꺽

대학.
말은 그래도
전혀 나가진
않지만.
대,
대학?!

그런 연주
실력에…
아직
대학생
…?

그런…
연주?
호오~…
감상을 들어보고
싶은데,
'그런 연주' 에
관해서.

오른손
연주는
못
들었지만
굉장했어요.

날카
로운
저음.
빠른
스피드,
정확한
리듬.

처음
듣는
멜로디
라인.
굉장했어요…
정말…
굉장
했어요!!

…아, 그래?
그럼 나 말고… 딴 사람들은?
능숙 했어요.
다들… 능숙 했어요.

트럼펫도, 베이스도,
드럼도, 나중에 들어온 색소폰도.

무의미해.

무의미하다고.
무.
의.
미.

그 사람들이 하는 게 어디 재즈냔 말이야.
적당히 재즈처럼 들리는 습관적인 음악, 아니… 장난이지.

그냥 악기나 좀 만져본 정도의 기술로
빙빙 돌리고 줄줄 흘리는 게 다야.

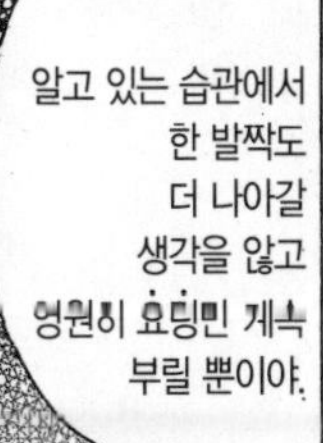
알고 있는 습관에서 한 발짝도 더 나아갈 생각을 않고 영원히 요령만 계속 부릴 뿐이야.
그런 인간이 꼭 그러더라고.

'안녕하세요!! 제가 재즈를 하는데 말이죠!!'
'아, 예. 재즈 연주자예요.'

바보냐?
만만히 보는 것도 정도가….

난… 이길 거야.
진짜 소리로.

우리 같은 젊은 사람들끼리 진짜 소리를 만들어내고,
그걸로 도쿄 음악의 선두… 앞에 설 거야.

재즈란 이런 것입네 해오던 노인네들도 깨닫게 해줘야겠지!!
그 자식들이 재즈를 망쳐놨단 걸.
그리고 그 자식들 때문에 재즈가 계속 져왔단 걸….
그럴 까요?
?
…전

재즈를 좋아하는 사람들이 있어서
오늘날에도 여전히 재즈가 있는 거다,

재즈를 좋아하는 사람들이 재즈를 필사적으로
이어와준 거다, 라고 생각하는데요.

아니
전 그런 것보다…
다른 사람이
어떻다 뭐 그런 걸
생각하기보다
전… 필사적이에요.

저밖에 낼 수 없는 소리를 내는 데에 더
필사적이에요.

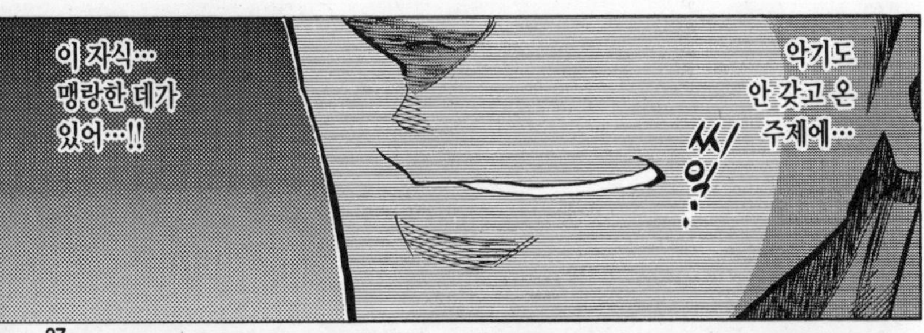
악기도
안 갖고 온
주제에…
씨익…
이 자식…
맹랑한 데가
있어…!!

…실력은
별로라도
어떻게든
될지도
모르겠어.
의욕은
있으니까
말이야.
무엇보다
10대라는 게
내 구상에도
딱 들어맞아.
게다가 뭔가…
뭔가가
있을 것 같은
기분도 들고.

열여덟
살.

?

너무 젊으면 만만히 보여서 스무 살인 척했지만.
사실은 우리 동갑이야.

나랑 유닛을 짜자.

제34화 TIME AND SPACE

나랑 유닛을 짜자.

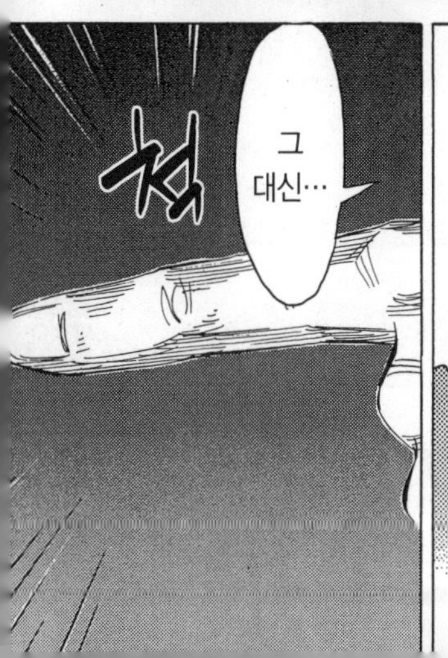

별로면
모가지다.
제34화
TIME AND SPACE

실력이
별로면.
그래.

별로면…?
…………

내
실력은…
별로가
아냐.

아,
그래?
그럼
왜 악기도
안 갖고
왔는데?

오늘은
수리 맡겨 놨어.
그래서….

뭐 됐어.
다음에 들으면
바로 알겠지.
실력이 별로인지
아닌지.
…………

저기 유키노리… 유키노리 군한테…
'별로' 인 연주가 어떤 건데?

유키노리 씨라고 불러,
다이.

…큭,
이 자식….

재능이야.
재
능.

죽도록 노력을 하고 또 해봤자,
손에 굳은살이 박이도록 악기를 불어봤자,

재능이 없는 인간은
하나 같이 실력이 별로야.

…재능?

난 엄청 싫거든.
무의미랑 낭비가.

실력이 별로인 녀석과 유닛을 짠다니,
시간 낭비 그 자체 아냐? 무의미하다는 생각 안 들어?
…………

재능이 없으면 즉시 해산.
애당초 우리가 무슨 친구였던 것도 아니니까 뒤끝도 없을걸. 어때?

만약에 나한테
재능이 있으면?

디딤대로 삼아 주지.
전력으로.
디…
디딤대?!

재능 있는 녀석들끼리 서로를 디딤대 삼아 가며
더욱 더 재능을 키워 이름값을 높여가는 것, 재즈는 그게 전부 아냐?

그게 '유닛을 짠다' 는 것 아니냔 말이지.

그런 의미에서 가르쳐 주겠어?
다이네 메일 주소.

…큭….
조… 좋아.

아하하하… greatdai라니 웃긴다—!! 거시기 엄청 크게 생긴 주소잖아!!
아니, 이건 그레이트 사스케를 따라 만든 건데….

고맙다. 나중에 연락할게.

앗, 저기!! 커피 잘 마셨어—!!
그래—.

뭐야
그 자식?

그래서?
넌 뭐라고
했는데?
아니…
아직 대답
안 했어.

오—
잘했어.
아니,
꼭 거절해,
다이.
엥….

만나자
마자
바로
유닛을
짜자니,
야.
완전 수상하잖아!!
널 잘 알지도
못하는 주제에
말이야.

그 자식 100%
머리가 이상한
자식이야.
무시해,
그딴 자식쯤!!
으—음….

그럼 예를 들어 보자면 말이야.
저요!!
네, 타마다 군.
남녀로 예를 들어보자면 만나자마자 바로 '우리 하자!!' 라는 거나 마찬가지 아냐!!
하겠냐, 너 같으면? 바로 해도 괜찮냐 말이야!!
아니~.
그건 좀 아닌 것 같다.
그렇잖아!! 헌팅이랑 마찬가지라고!!
아, 그럼 또 저요!!
네, 타마다 군.
이건 딱 그거네.
'유닛 피싱 사기'.
뭐어? 뭐야 그게?!
아하하하하하!!
지금은 웃길지 몰라도 야, 여긴 도쿄야!! 별별 일이 다 일어나는 도쿄라고!! 무슨 일이 일어나도 이상하지 않다니까!!

덥석

척

탕탕탕
콰콰콰콱
쾅쾅쾅쾅

“디딤대로 삼아주지.
전력으로.”

이봐—!! 알바생—!!

예!!
좀 쉬다 와!!
30분!!

예!!

꿀꺽
꿀꺽

푸하~…!!
맛있다~.
잘 먹었습니다!!

아~….
색소폰
불고 싶다.

부웅
빠앙
빠앙
表参道
Omotesando
413

S COFFEE
ROUP

라떼….
카푸치노….

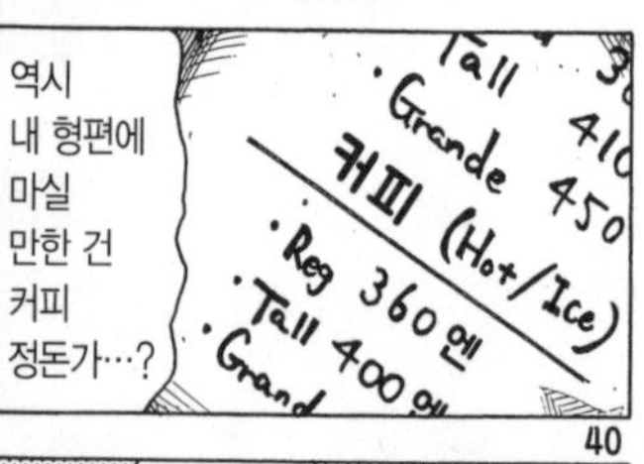
Tall 410
Grande 450
커피 (Hot/Ice)
Reg 360엔
Tall 400엔
역시 내 형편에 마실 만한 건 커피 정도가…?

그보다 약속 장소,
여기 맞지…?
뭐냐고— 가게 안에서 보면 덧나나?

아….

왔냐.
악기는?

아직…
수리 중이야.
여자친구…
인가?

킥득킥득
킥득…

왜…
왜애?
그게…
얘길
들어서….
킥득킥득
거기가…
크다고….
뭐,
뭐어?!
완전
거목이
따로
없더라,
거목.
참고로
이름은
다이야.
킥득킥득
킥득…

무…무슨
말도 안 되는
소릴 지어내?!
거짓말이야!!
보지도
못했
으면서!!
아하하하…
기왕
이렇게
된 거
보여
달라고
하자.

한번
해봐.
보여
달라고.
찰싹
몰라!!
이…
이 자식
~!!
보고
싶다
면서
몰라!!
나
화낸다!!

난
에스
프레소.
다이는?
응…?

난
내가 낼게.

괜찮지?
내 친구
것도.
괜찮아.
친구로
생각도
안 하는
주제에….

음료
나왔어.
고마워.
아…
이거…
잘
마실게요!!

오늘 갈 곳은
도쿄에서 1~2위,
아니, 일본에서
제일가는
재즈 클럽이야.

다이도 일찌감치
가보는 게
좋겠다 싶어서
오늘 불렀어.
이…
일본
제일?

오늘 밤
연주자
말인데,
메인은
퍼시
브라운이란
트럼페터야.

시카고 출신. 22세에 데뷔.
업계 제1선에 계속 서다가 34세에 그래미 수상. 지금은 44세.
그…그래미?!

아니 잠깐, 야—!!
그래미 몰라?!
모, 몰라!!

뭐, 됐어. 이번엔 사이드 멤버 얘기를 하자고.
피아노는 잔 트리스탄. 이탈리아 출신, 35세. 전형적인 클래식 출신자야.

베이스는 알 허먼. 조지아 출신, 33세. 계통으로 말하자면 스트레이트 포워드랄까.
잘도 아네….

그리고 드러머가 ….
있잖아, 유우 군.

나 배고파—.
아아, 커피 고마워.
넌 이만 들어가 봐도 돼.
에엥~…?!

뭐~…?
식사는?
안 간다고
하잖아
—.

또
보자.
잘 가.

또
토니 파크스란
드러머가
재밌는데.
있잖아…
괜찮아?

여자
친구,
가버리
잖아.

괜찮아.
여자
친구도
뭣도
아니고.

어디까지
얘기했지?
아,
드럼인가?
어쩐지
불쌍해….

소…
블루.
그래.

JAZZ
So Blue
TOKYO
여기야.

!!

넓다…
웅성
웅성
웅성
웅성
웅성

손님이…
웅성
웅성
웅성
웅성
가득해.
끄… 끝내 준다!!
이런 데가 있었구나 …!!

다이.
으, 으응.
여기가 우리 자리야.
입석이 제일 싸기도 하지만

46

실은 여기가 최고로 잘 들리는
특등석이지.
와본 적 있나 봐?
그래.
일주일에 세 번은 와.
이…일주일에
세 번이나?!
그래.

Good Evening for All you Jazz Lovers Tonight, we
?
왔다, 왔어.
빠비
잉예
이
짝짝
짝짝
짝짝

저 사람.
Percyyy
Bro

짝짝
잉예
짝짝
빠비
짝이짝
짝짝

처음 듣는
…본고장.

본고장 연주자다!!

착

!!!
우옷…
대뜸
솔로?!

빠빠
빠

빠

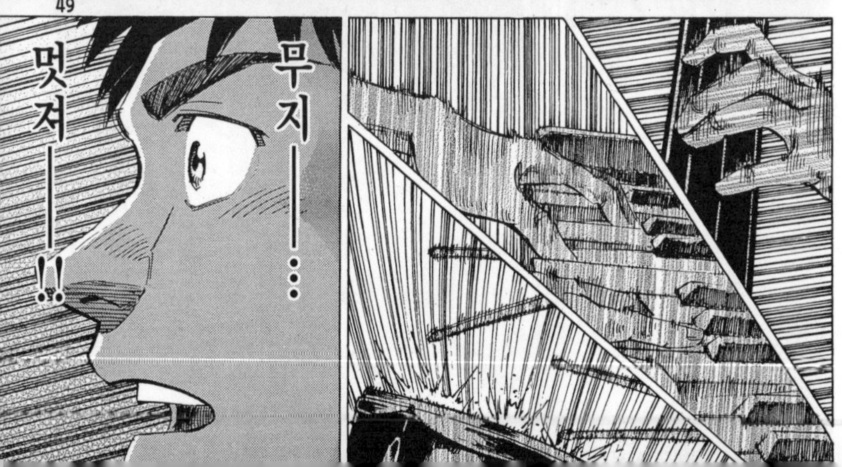
무지――…
멋져――!!

파

피아노
솔로도…

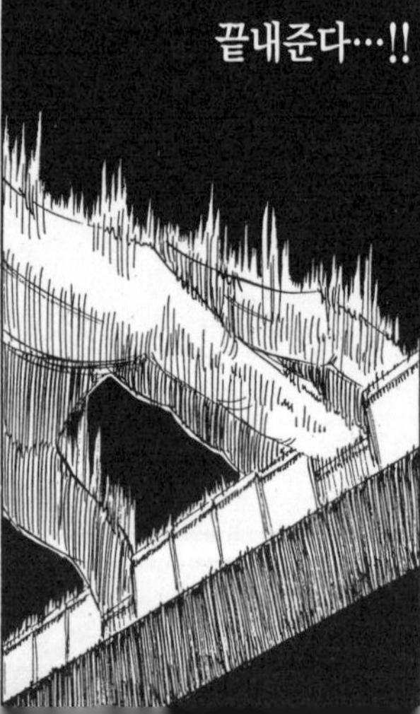
끝내준다…!!

타닥
타닥
타닥
타닥
타닥

?
타닥
타닥
타닥
타닥

타타 타타 타타 타
닥닥 닥닥 닥 닥 닥
타타 타타 타타 타
닥닥 닥닥 닥닥 닥

타닥 타닥 타닥
타닥 타닥 타닥
타닥 타닥 타닥
타닥 타닥

52

제35화 JAZZ PROCESS

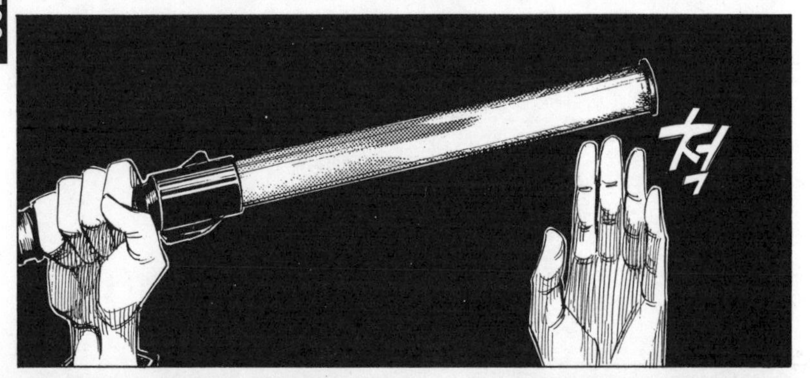

제35화
JAZZ
PROCESS

삐! 삐! 삐! 삐!
삐! 삐! 삐! 삐!
SCRIABIN-3
라흐마니노프
라흐마니노프
쇼팽
【新版피아노

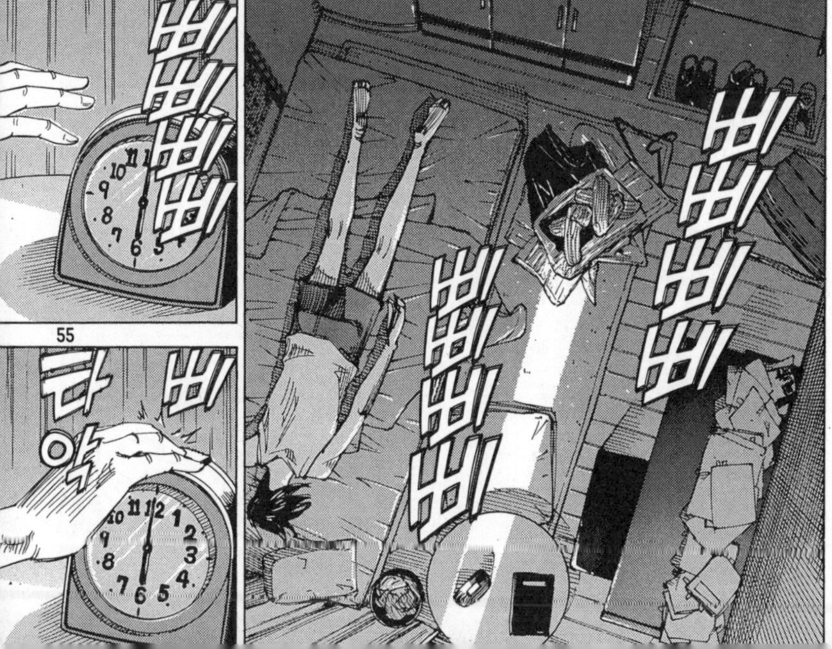
삐! 삐! 삐! 삐!
삐! 삐! 삐!
삐! 삐! 삐!
삐!
타악

후우우ㅡ……
긁적 긁적

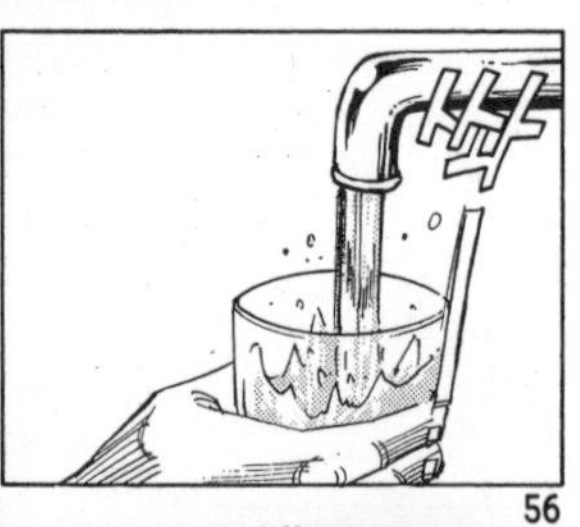
쏴

꿀꺽
꿀꺽

달그락

덜거!
바스락
바스락

아ㅑㅑ

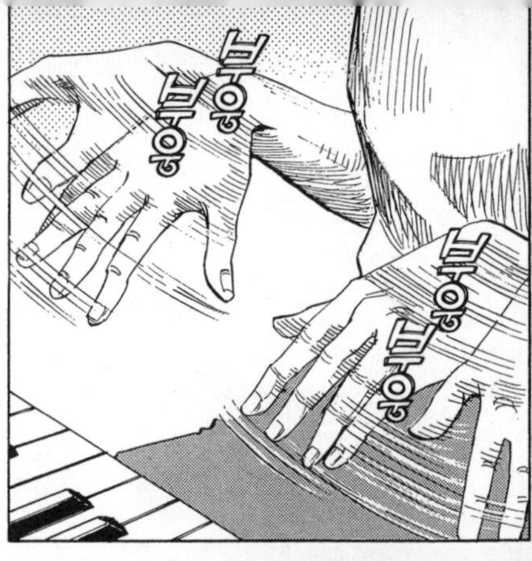
부응 부응
부응 부응

아ㅑㅑ

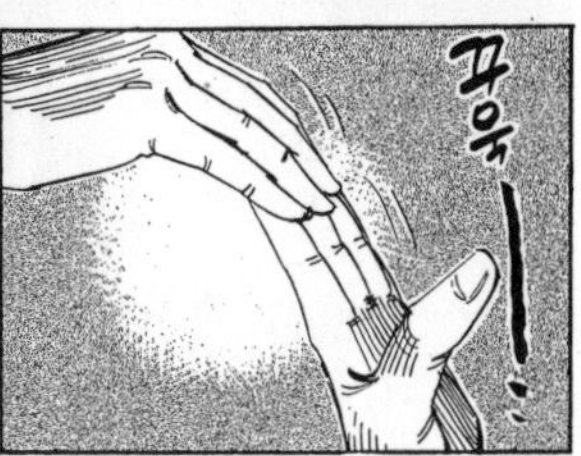
끄우―!…

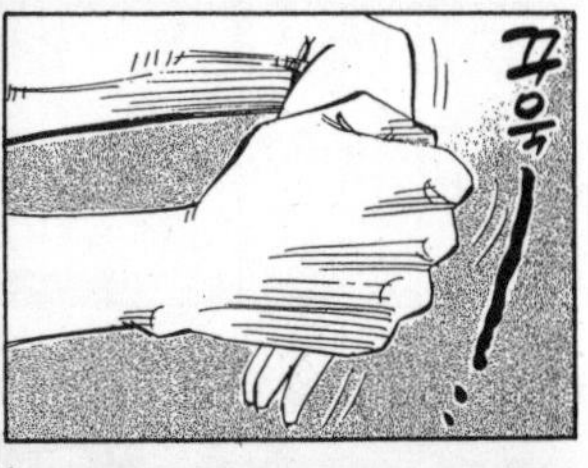
끄우―!…

부응 부응
부응 부응

딱
딱
깡악
깡악

라닥
라닥
라닥라닥
라닥라닥
라닥라닥
라닥라닥
라닥라닥

파아
슥
6
덥석

처억

24

드아

우물 우물
우물.

뚜르르르..
열차가 출발합니다 ―.

타닥 타닥 타닥
타닥 타닥

타타타타 닥닥닥닥
타타타 닥닥닥

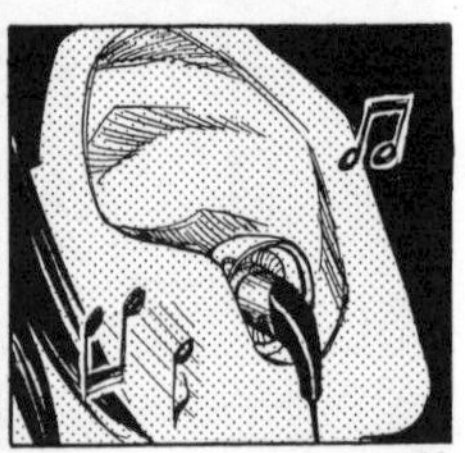

빠앙!

사이즈는
좀
어떠신지?
음―…
사이즈는
괜찮지만서도…

역시
느낌이
좀….
너무
시크한 것
같단
말이야
~….
영 아냐,
역시
관둬야
겠어.
아…
예.
감사
합니다―.

사와베 군.

예.
잠깐…
얘기 좀 할까?

아,
예.

영 오르질 않는걸, 자네 매출.
왜 그런지… 사와베 군, 알겠나?
아… 아뇨.

자네… 일을 좀 만만히 보는 거 같은데?
어차피 일개 알바니까, 그렇게 생각하는 거 아닌가? 우리 일에 대해서 말이야.

좀 더 정성껏? 이랄까, 성심성의껏 해줘야──….
……
죄송 합니다.

쾅

덜컹!
덜컹!..
타닥타닥타닥 타닥 타닥타닥

타닥 타닥 타닥 타닥
타닥 타닥
타닥 타닥 타닥 타닥

'유키노리..'

'우리 유닛 짜자.'

그 자식…
씨익…

아무리 그래도 그건…
너무 맹랑하잖아…

벌떡

타타타타
콰과과

파앗

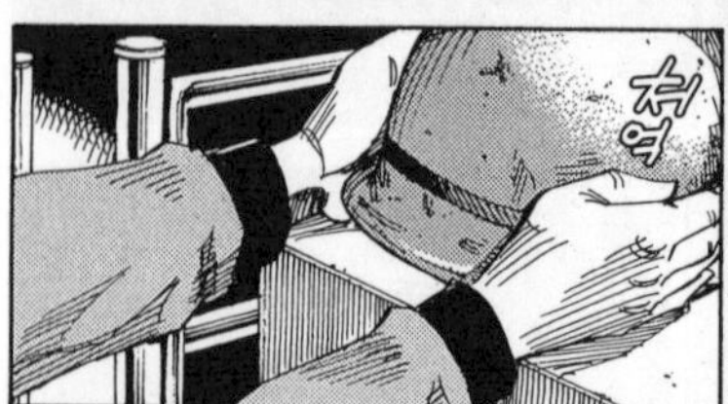
처억

딸깍

철컥
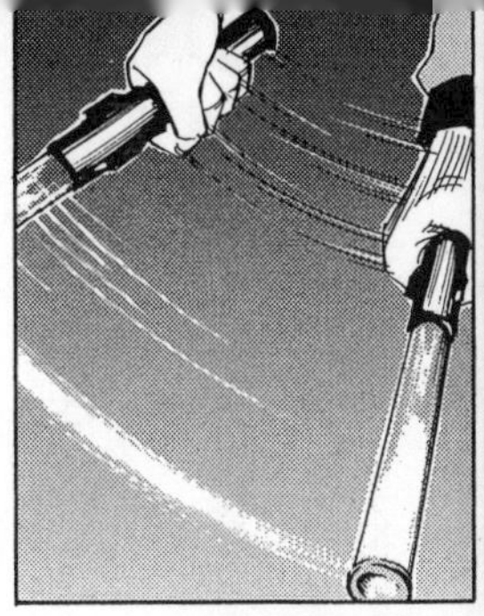

흰색 토요타까지 입니다.
오케이.

빨간색 경차가 마지막 입니다.
오케이.

부우웅

달칵
후우――…

타닥 타닥 타닥 타닥
타닥 타닥 타닥 타닥

웅웅—
웅웅—

오.
거시기 大

여보세요—.
아… 여보세요. 유키노리?

씨, 라고 하라니까. 유키노리 씨.
색소폰 다 고쳤어.

호오…. 그래서? 쫄아서 그냥 없었던 일로 하자는 전화냐?
뭐?! 그 반대야!! 1분이라도 빨리 들어달라고 전화한 거라고!!

큭큭큭.
시건방지긴—.
오늘은?

응?
연주할 장소를 빌려준다는 사람이 있는데. 오늘은? 힘들어?

한밤중에나 시간이 나는데.
몇 시쯤?

나 원~….
…………

JAZZ
TAKE TWO
호오~.

덜컥-
오.
짜잔!!
유키노리
등장!!

그래.
방금 막 유키노리 네 얘길 하던 참이었어. 아, 이분이 여기 오너 마키코 씨.

안녕하세요…
사와베 라고 합니다.
그래요.

자, 그럼!!
가볼까!!
곰지락
곰지락
곰지락
곰지락
곰지락
곰지락
곰지락

야야야….
자… 잠깐만 있어봐.

내가 지금 목이 말라서. 물 좀 마시자, 물 좀.
뭐야~….

…혹시,
피곤해?

응…?
하나도.

아, 그래…?
그럼 됐고.
몇 년 됐어?

응?
색소폰.

그러고 보니까 몇 년 불었나 싶어서.
악기.

고등학교 들어가서 바로 시작했으니까
한 3년 좀 더 되나?

…3,

3년?
응!! 고등학교 3년 내내.

아하핫
아하하하하하
뭐가… 웃긴 건데…?

그럼 그건가?
밴드부 였어?
아냐, 농구부였어. 중고등학교 내내 농구부.

크ㅋ크ㅋ크ㅋ
좀 전 부터…
왜… 웃겨?

아냐….
뭐 어때. 뭐, 신경 쓸 것 없어.

유키 노리 넌?
몇 년 쳤어? 피아노.

네 살.
네 살때부터야. 재즈는 초등학교 들어가고 나서.

4년?
4년 쳤는데 그렇게 잘 쳐?!

우와~.
그래서 잘 치는 거구나.
그랬구나~.
그럼 10, 11, 12, 13….
나 이거야 원….

겨우 3년밖에 안 된 녀석한테서
1… 14년?!
우와 우와 우와!!
유닛을 짜자는 소리를 듣다니.

저기, 다이.
너 잊은 건 아닐 테지?
응?

별로면
내가 듣기에 네 색소폰 실력이 별로 같으면 너랑은 유닛 안 짠다.
그래.
그렇게 해.

좋아!!
타닥
타닥
아키코 씨.
저 업라이트 좀 쳐도 될까요?
얼마든지.
필요 없어.
덜컥!

응?
나 혼자 불어도 유키노리라면 알 수 있지?
내 실력이 별로인지 아닌지, 유키노리라면 알 수 있는 거지?

같이 연주하는 건
유닛을 짠 다음이 낫지 않겠어?

됐어, 됐어.
어쨌거나
오늘은 이만
들어가봐.
알았지?
뭐야
그게?!
난
네가…!!
아니,
됐으니까
오늘은
이만
들어가봐.
—뭐어?!
어느
쪽이야?!

잘
자라—.
그래
—.
내일
전화할 줄
알아!!
뭐냐고~!!
따달랑

……
처음
들어봤
지만…
나도
……

……

굉장
하지?
쟤.

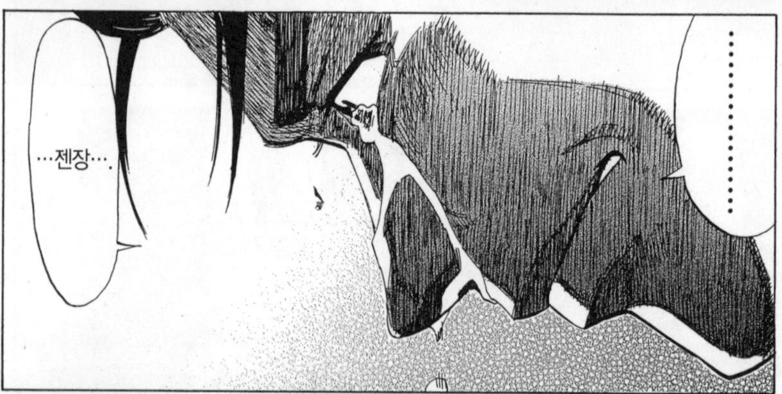
……
…젠장….

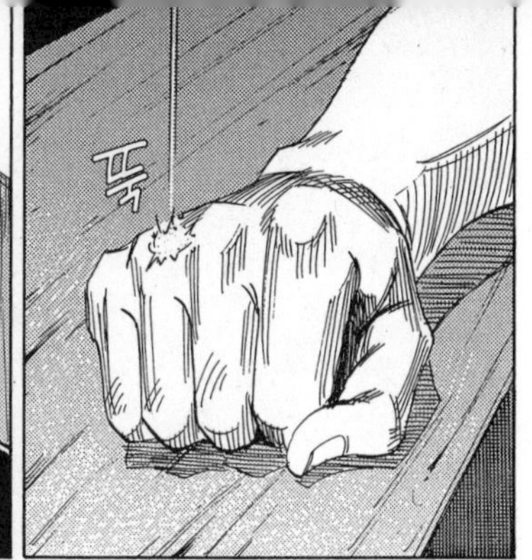
뚝

왜
내가…
울고 있는
거야…?

마음을
뒤흔들어
놓고…
큭…
완전히
꿰뚫어
버렸어….

…재능….
굵고
날카로운
소리와
새로운…
프레이즈….

78

그 자식…
이제 겨우 3년 됐다면서요….

……
젊을 때는 뭐든지 빨리 느는 법이라고들 하지만….

…3년 간
대체 얼마나 불어댄 건지….

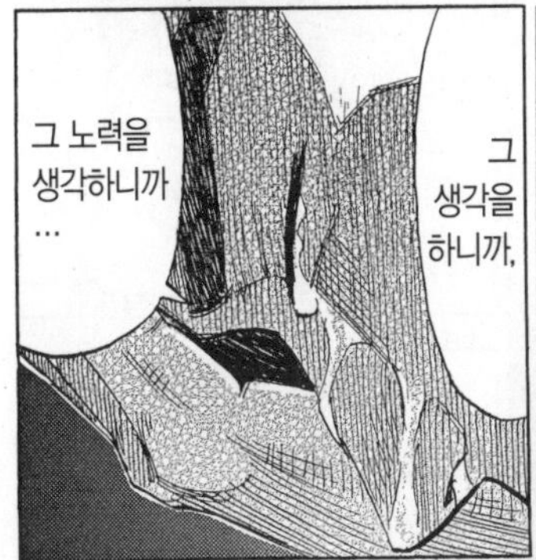
그 생각을 하니까,
그 노력을 생각하니까 …

나도 모르게 감동이….

정부는
금년
예산
중…
후룩

야,
다이.
우리
학부에서
누가
그러는데
…

음악을
하면
여자들한테
인기
있다나?
거기다
재즈면
진짜 인기
있다는
거야!!

그거…
진짜냐?!

…응?
뭐라고
했어?

아니, 그러니까
나도 기타나
뭐 그런 것 좀
해볼까 하고….
우웅
왔다!!

그래!!
유키
노리!!
어땠어?!
어땠냐고,
나?!

합격이야?!

유닛 짤 거야?!

어느 쪽이야?! 응?!
다이.

'여보세요' 좀 하고 받아.
엥?! 아아… 여보세요!!

그래서? 어느 쪽이야?!
네가 말한 그 재능이라는 게?! 나—

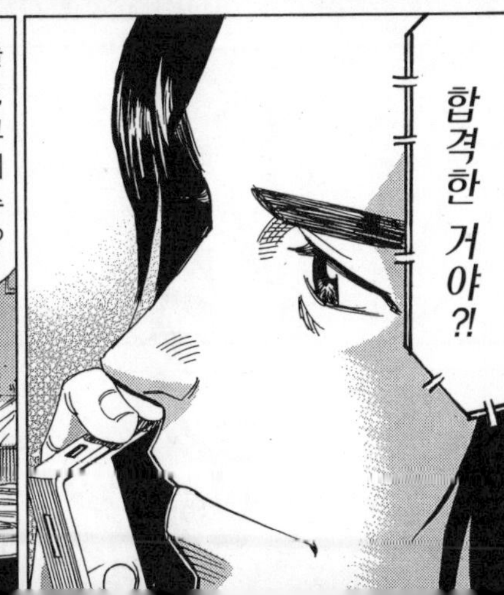
합격한 거야?!

오늘 말이야, '테이크 투' 에 올 수 있겠어?
엥? 뭐?!

82

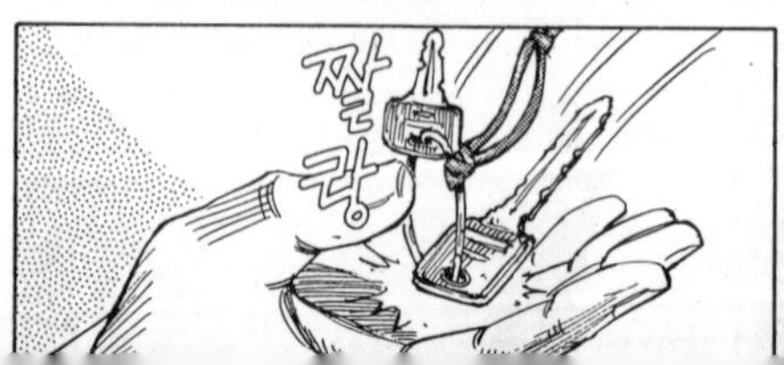

응?
셔터
올리게
열어.

왜…
왜 유키노리가
테이크 투 열쇠를
갖고 있어?
어제
빌렸거든,
아키코
씨한테서.
찰칵

우리 연습
장소로
쓰고 싶다고
부탁했더니
그러래.
들어 올릴
테니까
거기 좀
잡아.

드르륵

지…
진짜?!
우와!!
하나
—
둘!!

단
렌탈비
하루에
천 엔씩
받을 테니까
그리
알래.
찰칵

어째
좀…
쩨쩨해
~….

어둡다….
어디
보자…
라이트,
라이트.

어라라.
이 피아노도
오랫동안
아무도
안 쳤는데~.
슥

다이.
준비.

슥

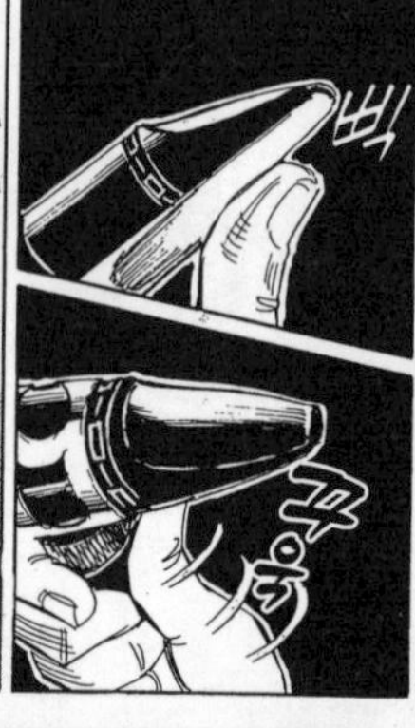

삑
쿠욱

오케이
—.

곡은?
그걸
말이라고
하는 거야?
우두둑
팍
꾹꾹
우두둑
팍
꾹꾹

당연히
기본
키부터
가야지.

3코드
블루스,
B♭으로….
템포는
….

우읏…!!
가까이서
들으니까
박력이
장난
아닌데…!!

역시…
끝내주는
왼손
연주야!!

빠
빠
라
빠
빠

난…,
좋아,
내 소리를!!

슥

방금 뭐야?

응…?
방금 그 스케일 말이야.

코드에서 한참 벗어났어.
일부러 그런 거야?

아니, 그게… 애드리브.
내 애드리브.
뭐어? 바보 아냐?!

범위에서 벗어난 건 전부 잡음이야.
좀 더 절제해!! 그리고 나한테 맞춰!!

아, 아냐!! 절제했다간 전달이 안 되잖아!!

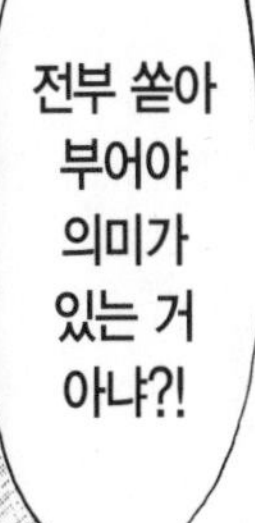
전부 쏟아 부어야 의미가 있는 거 아냐?!

바보, 네 그건 이해불능 이라고.
음악으로서 이해가 되지 않으면 의미가 없어.
이해 됐잖아?!
이해가 되니까 나랑 유닛을 짜는 거잖아?!

그런 얘기가 아냐!! 나랑 네 공통 연주 범위 말이야!!
서로 공통 연주 범위가 맞아야 솔로고 뭐고 있는 거야!!

좀 들어봐.

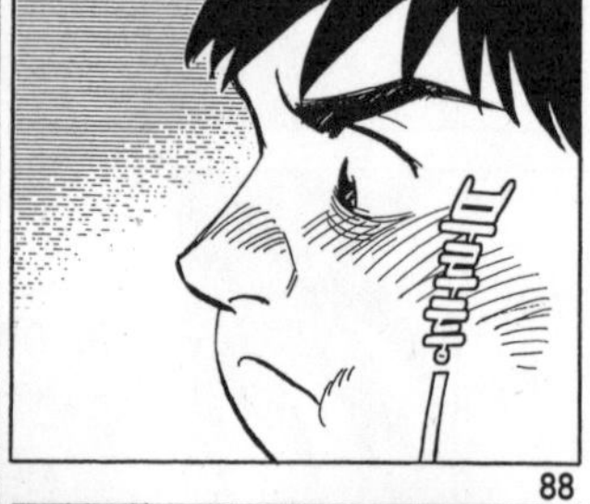
불끈

쳇….

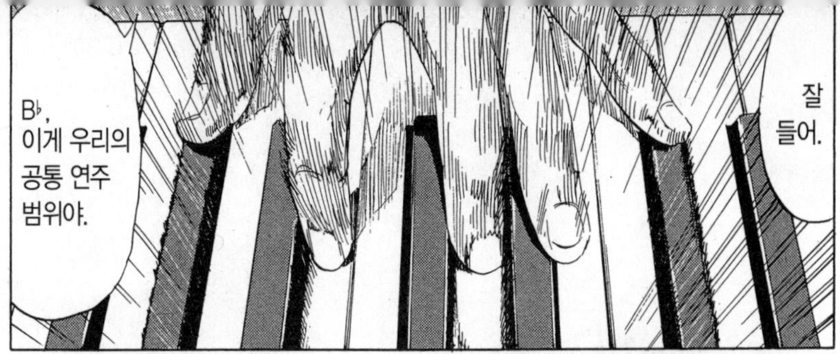

※스케일의 이름.

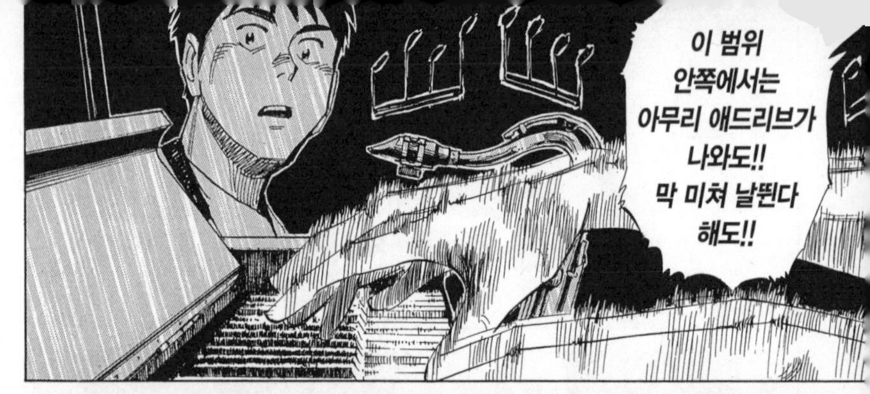
이 범위
안쪽에서는
아무리 애드리브가
나와도!!
막 미쳐 날뛴다
해도!!

잡음이
아냐!!

…끄,
끝내
준다~….

힐끔

왜…?

아냐… 아무 것도 ….

좋은 데지, 테이크 투?

응… 그래.
됐다. 여자들 한테 메일 완료.

다이 너, 혹시 오늘 무슨 예정 있어?
아니, 알바도 없고 비었어.

그럼 오늘 해둘까?
유닛 결성회라도.
유닛 결성….
그거 좋네~….
하자, 하자!!

그럼? 어디 갈까? 식당? 역시 술집?
그건 무리.
나 지금 완전 돈 없거든.

엥…? 왜?
전에 갔던 재즈 클럽 있잖아, '소 블루'.
거기다 알바비를 싹 다
쏟아 부었거든.
뭐… 알바? 유키노리가…? 어째 좀 의외다.
엥? 뭐가 의외야?

아니…
유키노리
너,
도쿄
부잣집
도련님
아냐?

뭐어?!
뭔 소리야?!

난 일본
제일로
쿨한
나가노
현민
이라고.
신슈 시나노
마츠모토
출신이야.

호오~
시나노에도
재즈가
있었네.
당연한
소리.

…하지만
고등학교에서
재즈를 했던 건
나밖에
없었지―.
아, 그건
나도 그래.
학교에서
나 혼자였어.

유키
노리
넌
왜
재즈야?

왜
뮤지션이
되고 싶어
하는 건데?

응?
……

우리 집은…
피아노
레슨을 해.
어머니 혼자
꾸려 나가는
작은 음악
교실이야.
호오~.

내가
초등학교
2학년
때,
나보다
두 살 많은
여자애가
우리 집에
피아노를 배우러
왔었지.

그런데
걔가
또…
엄청
잘 쳤어.

나도
아침부터 저녁까지
몇 명이고 몇 명이고
피아노 치는 걸
들어서 알잖아.
어쨌든
확실히
잘 쳤어.

하지만…
내가 놀란 건
걔가 잘 쳐서가
아니었지.

즐거워
보이더라고.
어떤
학생보다도,
누구보다도.
엄청
즐거워
보였어.

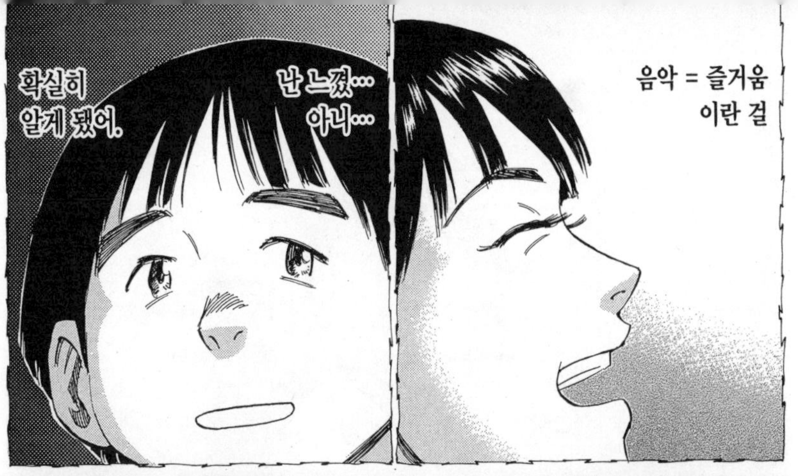
음악 = 즐거움
이란 걸
난 느꼈…
아니…
확실히
알게 됐어.

그런데
어느 날 밤
걔가 갑자기
우리 집에
와서는…
'저희 지금
멀리 가야 해서
인사드리러
왔어요' 라고
하더라….
야반도주인지
뭔지까진
알 수
없었지만
뭔가…
걔한테
중대한 일이
생겼단 건
나도 감이
왔어….

피아노
계속
치렴.
꼬옥
그럴 수
없다는 걸
알면서도…
어머니는 그렇게
얘기했어.
강한
염원을
담아
그렇게
얘기한
걸 거야.

네.

난…
높이 올라설 거야.

음악을 할 수 있다는 게 행복하다고 해도
그건 이겼을 때만 그런 거야.

전력으로 높이 올라설 거야.
난 말이야.

계속 치고
있을걸~….

개도…
분명 피아노
계속 치고
있을 거야.

후…

위하여ㅡ.
따각
위하여!!

근데 말이야…
어떡할 거야?
뭘…?

베이스랑 드럼.
리듬 섹션 어떡할 거냐고.

…역시
필요해?

덜컥!!

당연… 하지.
진짜… 나 너랑 유닛 짜는 게 벌써부터 막 걱정된다, 야.

음—.
난 아는 사람 아무도 없는데.

난… 있어.
아는 사람 중에 베이스나 드럼이나 있긴 있어.

하지만 없단 말이지~
10대가.

…근데 다이.
네 자취방 은근히 넓다? 시건방지게.
아니… 이건 내 자취방이 아니라….

있었냐ㅣ.
나 왔…

?

다이!! 너 이 자식—!! 누구 맘대로 사람을 끌어들여?!
얹혀사는 주제에 뭐 하자는 거냐고—!!
유닛 결성회 좀 하고 있었어….
유키노리랑….

크ㅇㅇㅇ… 나한테 얘기도 없이 너….
실룩 실룩
재즈 유닛 결성회 말이야.

재즈는 무슨 놈의 재즈… 너 이 자식!!

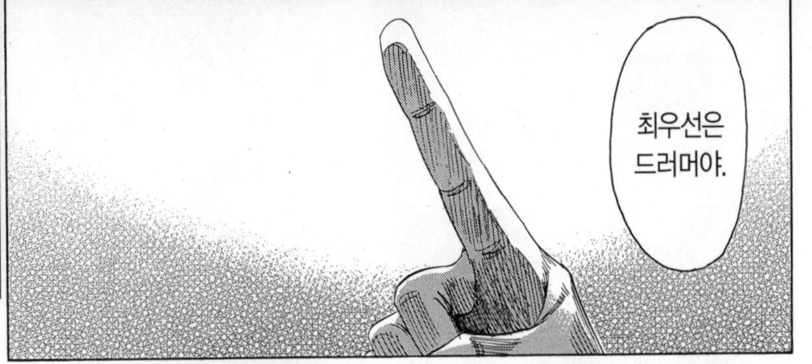
최우선은 드러머야.

그것도 1급.
1급 재능이 있는 드러머가 필요해.

음~.
유키노리 넌 재능, 재능, 그러는데…

그럼 프로, 그러니까 프로 드러머를 찾는다는 거야?!
이 자식들 봐라…
여긴 내 자취방이라고….
그거 좋네—.
10대 프로 드러머. 그럼 최고지!!

음~.
그 정도 녀석을, 음~….

'음~'은 무슨 '음'이야? 다이.
꿀꺽…
찾으면 돼, 찾으면.

저기~ 한창 얘기 중에 미안한데,
나도 좀 마셔도 될까?

그럼, 그럼.
마셔, 마셔, 타마다!! 깜빡 잊어서 미안!!

고맙다….
아니 근데 이 자식들, 얘기를 언제까지 계속하는 거야…?

그밖에는?
유닛 결성회에 즈음하여 하고 싶은 말 뭐 또 없어?

있어.

하고 싶은 말은 전부 할 거야.
전부 말할 테니까 각오 단단히 해둬.

나도야.
나도 전부 말할 거야.

귀찮긴 하지만
솔직히 다 까놓고 말이야.

좋아!!
솔직히 다!!
……
아니 그러니까…
여긴 내 자취방 이라고….

제37화
SO WHAT

퍼억

윽, 퇴짜 맞았다!!
아~.

안 되겠어, 지친다.
난 좀 쉴게.
엥?

아, 나도—.
휴식, 휴식—.
에엥?

에고고… 숨차라….
야!! 너희들!!
아직 20분이나….
벌써 배고프지 않냐?

라멘 먹으러 갈래?
아, 역 앞에 엄청 맛있는 라멘 가게 생긴 거 아냐?

내가 몇 번을 말해!!

맞추라고 —!! 내 왼손 연주에!!
'범위' 에!!
아냐!!
솔로는 나니까 유키노리 네가 내 연주에 맞춰야지!!

네 연주는 솔로도 뭣도 아냐!! 완전 딴 곡이 돼버렸잖아!!
순 제멋대로야!!
그게 어때서 그래!!
뭐가 튀어나올지 모르는 게 재즈 아냐?!

참 내, 진짜 못 알아 먹네~.
음~ 어떻게 얘기를 한다….

그, 그럼 어디 설명해봐.

그럼 다이, 잘 들어.
여기가 올림픽 시상대라고 쳐.
으, 으응!!

그리고 이 곡이 흘러나오는 거야.
그래, '미국 국가'.

그런데 말이야.
이 곡이 흘러 나오는데

바보 다이가 '※기미가요'를 연주해.

※일본의 국가.

그럼 문제. 금메달리스트는 어느 쪽일까?
미국인? 일본인?

음~… 두…

둘 다?
죽어.
처음부터 다시 간다.

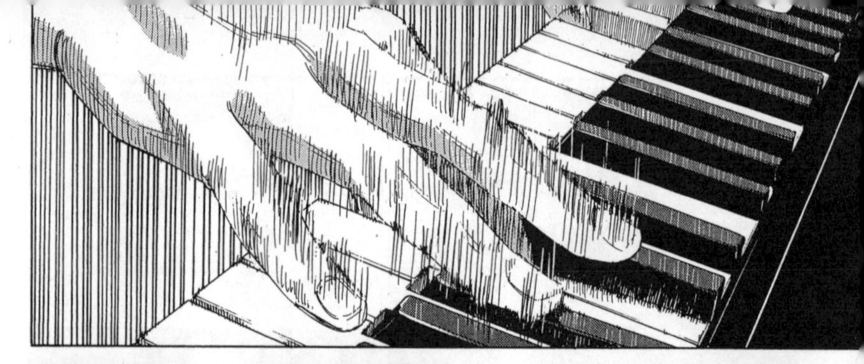

우와~!!
어떻게 이런 솔로가 가능한 거지?!
까딱
으… 응.

흥..

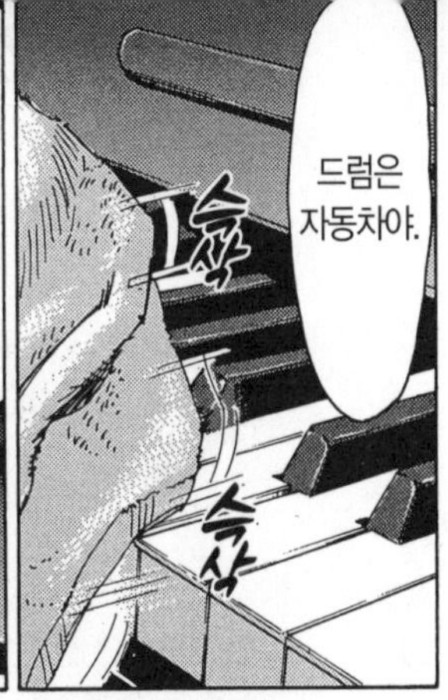
드럼은 자동차야.
슥삭
슥삭

스피드를 지배하는 게 드럼이지.
타고 있는 우리는 그 스피드에 따르지 않을 수가 없어.

…어떤 차가,
어떤 차가 좋은데?
첫째,
엔진 소리를 내며 맹렬한 스피드로 달리는 레이싱카.

둘째, 느긋하고 조용하게
크루징 하듯이 달리는 고급차.

셋째, 코너링이 경쾌한 스포츠카.
넷째, 계속해서 묵직하게 나아가는 트럭.

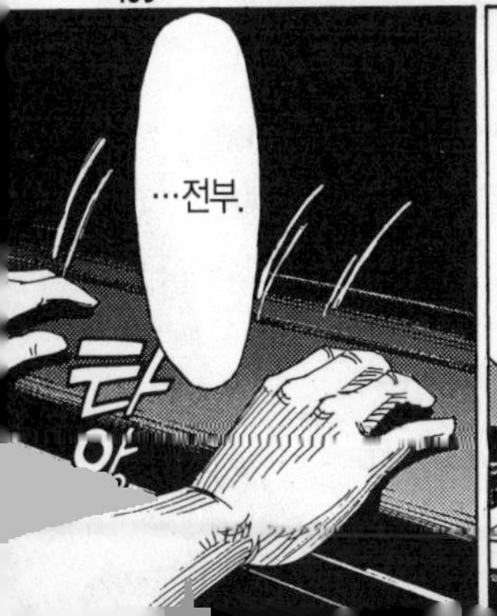
…전부.

그 전부가 될 수 있는 게 재즈 드러머라는 거야.

그게…
드러머의 재능?
천만에.

재능은 또 다른 문제야. 섬세한 좋은 귀를 가지고 있는가, 가지고 있지 않은가.

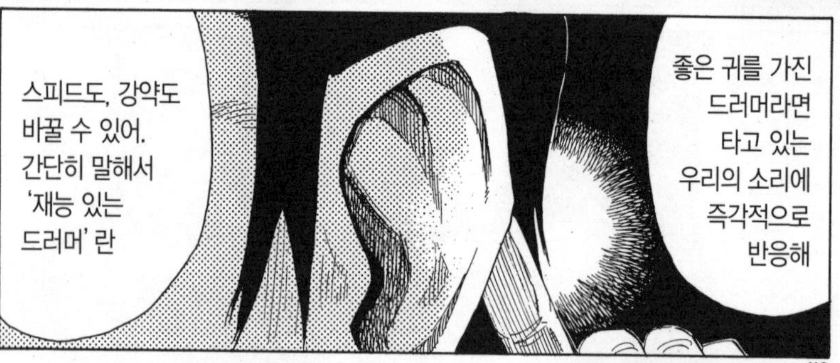
좋은 귀를 가진 드러머라면 타고 있는 우리의 소리에 즉각적으로 반응해
스피드도, 강약도 바꿀 수 있어. 간단히 말해서 '재능 있는 드러머'란

타고 있는 우리에게 드라이브를 시켜주는,
운전을 시켜주는 드러머야.
록처럼 폭음 속에서 귀마개를 하고
체력만으로 마구 쳐대는 드러머 따위
필요 없어.
척

재즈 드럼이 얼마나 어려운지 이해하지 못하는,
재즈의 문턱이 얼마나 높은지 모르는 녀석은

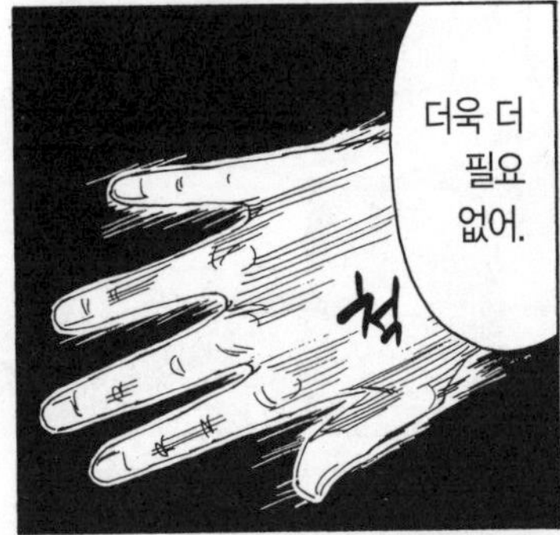
더욱 더 필요 없어.
척

엄청나게 어려운 재즈의 문턱을 넘는 재능이 있는 드러머가
필요해.

아, 그리고 다이. 〈카논〉, 다음 연습 때까지
일정한 템포로 불 수 있게 해놔.
음~?!

음~.
문턱…

음~.
왜 그래? 하고 싶은 말이 있으면 한다며?

居楽屋 水源
여기 생맥주요—!!
왁글 왁글
와하하!
여기도요—!!

와글 와글
와하하!
뭐, 진짜?!
와글 와글

우리 서클 들어와, 나데시코!!
뭐어~? 난 금메달 같은 건 안 노려—.
그럼 좋아!! 테스트하자!! 오버헤드킥!!
진짜~. 나 치마 입었다니까~!!
난 팬티 관심 없어!! 진짜!! 자, 하나— 둘!!
까악—!!

푸 하하하…
너희들 바보냐?
아하하…

아~ 허벅지 죽인다~
어라? 굵은 게 좋아?
아하하하 바보 아냐?

후우우~...
팍
딸깍
철컥
철컥

빙글
플썩

오늘도 강변에 들
밤늦게 들어올
타마다에게
↑ 여기 집세.
늘 미안!!
사랑해. 다이
오늘도 강변에 들를 거라
밤늦게 들어올 거야.
슥...

빠빠라
타앙
타앙
타앙
타앙
빠빠라
빠-빠

빠빠빠빠빠
빠라라빠
빠-빠빠
빠-빠빠
타앙
타앙
타앙
타앙

빠빠
타앙
타앙…

빠

템포를 지켜 가면서 불기….
어렵네.

아, 그러고 보니까 메트로놈 앱이….
집세 좀 올려 수실까?

타마다…!!
서클에서 마시러 가는 거 아니었어?!

서클,
관뒀다.

뭐어?!
언제?!
방금.
그보다…
뭐냐, 여긴?!
하하하… 좋지~?
도쿄의 오아시스야.
내 개인 연습 장소지!!

…………
개인…

연습
장소
….

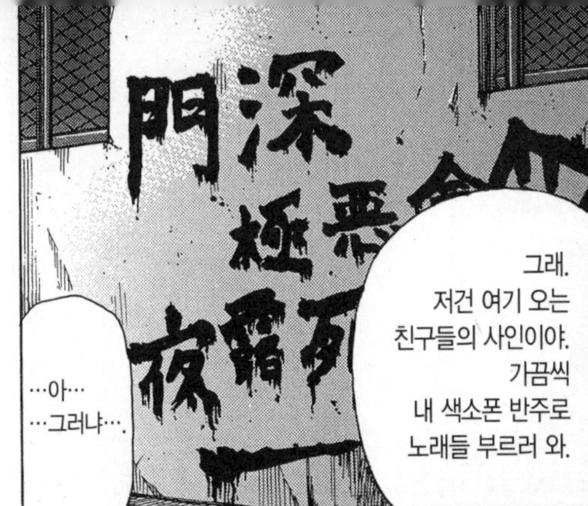
門深
極悪
夜露
그래.
저건 여기 오는
친구들의 사인이야.
가끔씩
내 색소폰 반주로
노래들 부르러 와.
…아…
…그러냐….

아, 맞다!!
타마다 너
잠깐 나 좀
거들어주라!!
응…?

어디
보자—
분명
여기….

…………
도쿄까지
올라와서…

쾅
아
덜컹
덜컹
매일…
이런
데서….

이걸로!!
리듬 좀 맞춰줘!!
까앙
까앙
깡

자.
뭐어?!

얼마 줄 건데?
캔 커피 하나!!

템포는
이 정도.
척척
척

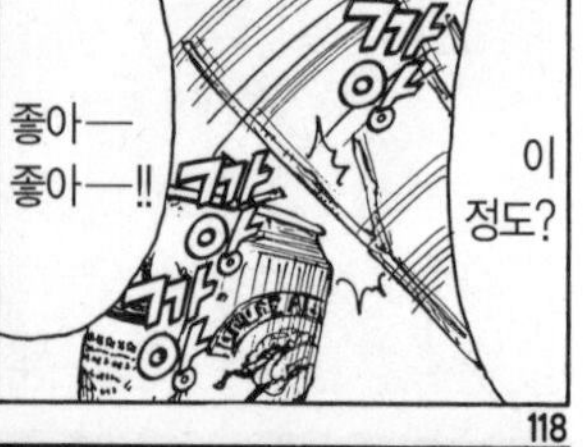
이 정도?
까앙
좋아— 좋아—!!
까앙
깡

그럼 간다!!
파헬벨의 〈카논〉!!
까앙
까앙
깡
깡

라 빠
빠 빠

어쩐지… 전혀 다른 것 같달까….
다이…

오오….
학교 축제 때 이후로 처음 듣는데…
꺄앙 꺄앙 꺄앙

빠빠 ㅡ 빠 ㅡ
꺄앙 꺄앙 꺄앙 꺄앙
이렇게 맑은 소리도 낼 수 있구나….

빠라
꺄앙 꺄앙 꺄앙 꺄앙

꺄앙 꺄앙 꺄앙

까앙
까앙
까앙

까앙
까앙
까앙
까앙
까앙
까앙
까앙
까앙

허억
허억
허억
너… 두 시간은 불었어…. 아야야~.
욱신 욱신
욱신 욱신
좋은데, 타마다.
리듬감이 아주 좋아.
…응?
너 끝내준다!!
……
있잖아… 다이….
나…
음악 같은 건 해본 적도 없고…
너희 같은 음악적 재능 같은 것도…
있을 리가 없지만…
그래도….
VALUE

나라도…
혹시 드럼 같은 거, 할 수 있을까…?

유키노리!! 데려왔어!!
아아… 다이 네 룸메이트?
드러머야!!

어? 타마다 군,
드럼 했어?
하… 한 적 없어.
뭐냐, 그 나무 막대기 한 번 잡아본 적도 없고.

뭐어?!
야!! 다이!! 너 뭔 생각이야?! 생초짜를 데려와서 뭘 어쩌자는 건데?! 멍청아!!
그러니까, 지금부터 연습하면….

바로 얼마 전에 얘기 했잖아!! 드럼이 얼마나 어려운 건지 말이야!!
바보가 할 수 있는 게 못 된다고!!
야!!

바보?!
누가 바보라는 거야, 너 이 자식~….
으아아 아아…。
엄청 귀찮게 됐네~…。

제38화
TO BEGIN

이 의자?
응.
거기야.
다시 한 번 얘기하지만

무리야.
200% 무리!!

어디 보자, 그… 막대기는?
분명 그 근처에 ….
빙글…
내 말 안 들려?! 야, 다이!!
씨익

야, 야, 야.
웃으면 끝날 일이냐, 이게!!
아, 그 주머니 안이다!!
오오~ 이건가?

뭐야?! …이게.

샤욱
으악….

………
오오~ 청소 도구 발견!!

흥

이거야, 이거.
호오~…
꽤 무겁네.

자, 그럼….

…………
있잖아….

엄청
많은데…
어느
것부터
…?

우선
바로 앞에
있는
스네어
부터.

그럼
되지?
유키노리.

이건가?

타앙

오예에~에.
타앙
타앙
타앙
타앙
타타앙앙
타타앙앙
좋아.
그럼
이 리듬으로
쳐봐.
이렇게?
짝 짝 짝

응.
그 리듬으로
쭉—….
하이햇.
클로즈로.

스네어는
시끄러우
니까
하이햇 좀
부탁해,
스틱은
한 자루로.

?!

하이…
뭐?
거기
그
UFO
같은
거야.

챙
애
애앵
이건가?

페달
밟고.
클로즈로.

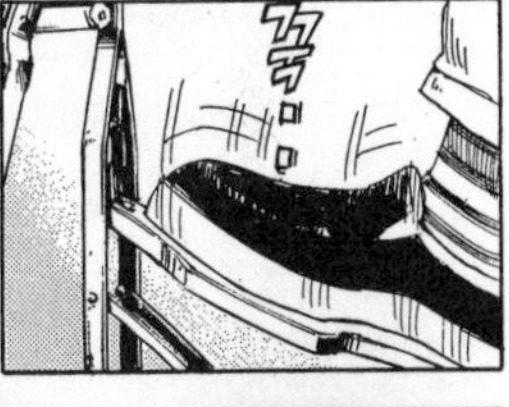

아.
소리가
변했다
….
타마키
군
말이야…

아트
블레이키라는
드러머,
혹시 알아?

응…?
부레끼?
아니,
아무것도 아냐.
그럼
맞춰볼까?
단…

오늘만,
이야.
……

Jazz
TAKE TWO

챙챙챙챙
챙챙챙챙
빠빠빠
빠-

챙 챙 챙 챙
챙 챙 챙 챙
챙 챙 챙 챙

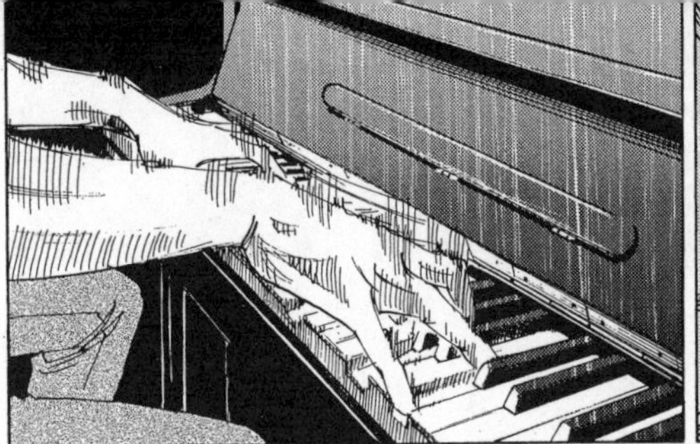

챙 챙 챙 챙
챙 챙 챙 챙
챙 챙 챙 챙

……
뭐야, 이거…?!
챙 챙 챙 챙

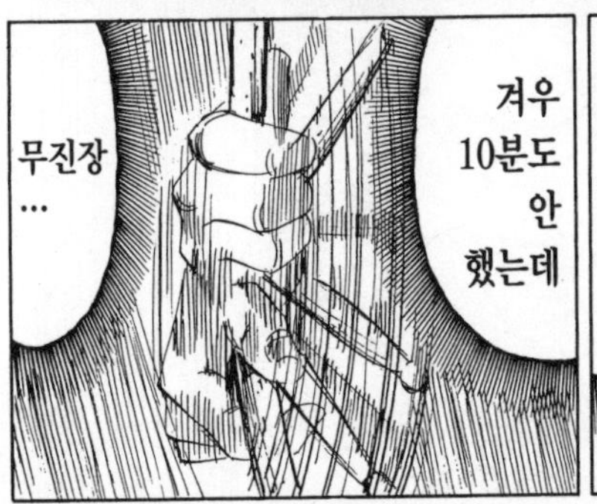
겨우 10분도 안 했는데
무진장…

하드하잖아….
챙 챙 챙 챙

챙챙챙
챙챙챙챙
챙챙챙
챙챙챙
...이 자식들,
땀 한 방울
안 흘리는데…

터무니없는
소리에…
무시무시한
박력이….

으악…
아차!!
집중을
안
하면
같은
스피드로
칠 수가
없어….
챙
챙
챙
챙

난 그저 계속
이 원반밖에
안 쳐댔는데
챙
챙
챙
챙

이 음악…
재즈…

어쩐지….

씽익.
쑤욱
아.
슈리리릭

땡그랑

척
수고 많았어!!
이상!!
타마다 군.

다이랑
얘기 좀
하고
싶은데…
단둘이
있게 해주면
안 될까?

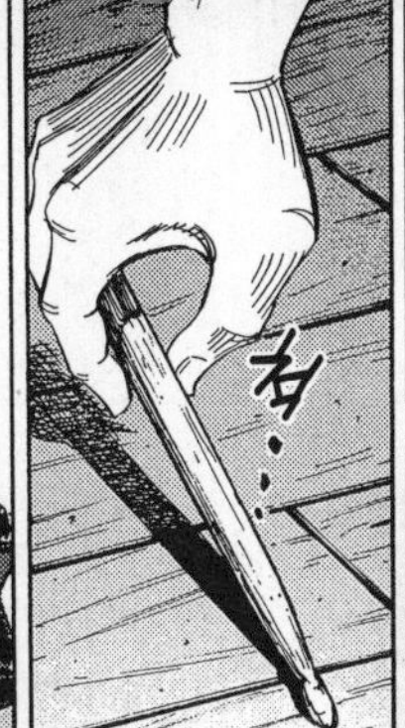
척…

스윽…

고맙다,
다이.
벌떡
타마다…

야….
타마다 군.

안녕.

딸랑
처음부터
다시 간다,
다이.

째깍… 째깍…
째깍… 째깍…
그래서…? 대체 뭐였어?

응?
낮에… 다이 네 룸메이트 타마다 군.
따악
꿀꺽 꿀꺽
왜 데려온 거야?
아트 블레이키도 모르는 생초짜를.

‘드럼을 쳐보고 싶어’ 라길래,
그래서.

야 야 야, 그건 아니잖아?
뭐가?!

다이 너도 들었을 텐데?
하이햇 하나 치는 것만 해도 숨넘어갈 것 같았잖아, 땀까지 삘삘 흘려 가면서 말이야. 게다가 자꾸 리듬도 틀리고!!

그런데 어떻게 밴드를 하냐고.
그런 녀석이랑.
그야 물론… 연습해서.

아, 그래? 몇 년 뒤?
5년? 10년?

재즈의 문턱이 얼마나 높은지,
입구가 얼마나 좁은지, 너 잊었어?

유키노리…. 내가 너한테 물어볼게.

‘하고 싶다’ 면 그걸로…
충분한 거 아냐?

그래… 뭔데?

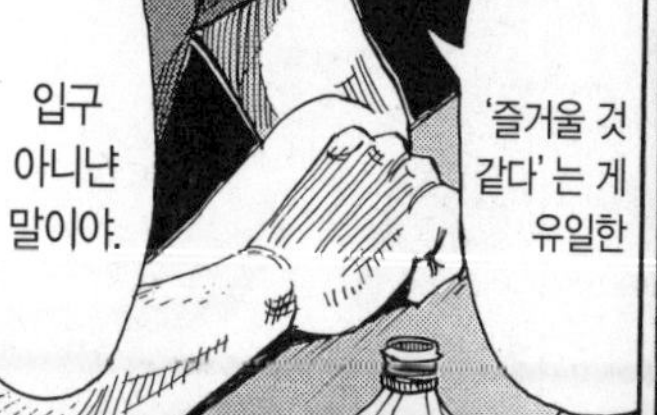
‘즐거울 것 같다’ 는 게 유일한
입구 아니냔 말이야.

'음악을 하고 싶다' 는 마음에
넌 '노' 라고 할 거야?

……
뭐어?!
그런 얘기가 아냐, 바보야.
너 진짜 못 알아 먹는다?!
난 시간 얘기를 하는 거야.
우리가 이겨 나가기 위해 주어진 시간은 짧아.

생초짜의
성장을
기다릴
시간은

꽉
없어.

최소한의 시간으로
싸울 수 있는
재능과 기술을
가지고 있는 녀석,
재즈의 문턱을
타넘고 온
녀석,

그런
녀석이
아니고서는
난 같이
유닛을
짤 수
없어.

그럼…
나도
마찬가지야.
?……

재즈의
문턱,
난 그런 거
본 적도,
타넘고 온 적도
없어.

나 참…
아이고
머리야….

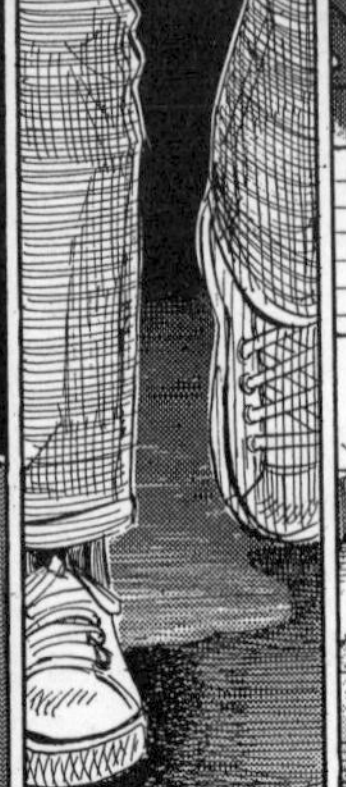

시간…
이라.

나도 색소폰을 불 수 있게 되기까지
하루하루… 시간은 걸렸어.

유키노리는 네 살 때부터 해왔으니까,
그래서 그렇게 끝내주는 거야….

하지만…
'나라도…'
'혹시 드럼 같은 거, 할 수 있을까…?'

…사부님.
사부님이라면 뭐라고 하실까….

'실력도 별로인 놈이랑 무슨 유닛을 짜냐.'
크윽….

하지만…
하지만… 사부님….

뚜다다다
?
나 왔…
어어… 어엇?!
뚜다다다

?!
뚜다다다
타마다.
뭐 하고 있어?
야!!
뚜다다다
슥쩍

뚝
따다다다
뚝다다다
뚝따다다다

142

왔냐.
……
뚝따다다다
주변에
폐가
되니까
덮어.
으…
으응.
뚝따다다다
뚝다다다
뚝다다다뚝다다
스윽…

뚝다다다다다
뚝다다다다다다

mosaic
ART BLAKEY
& THE JAZZ
MESSENGERS
아트
블레이키의
…
CD.

……
좋잖아.
뚝다다
뚝다다다다다
뚝다다다다다

하고
싶은 걸
하는 게…
뚝다다다다다
뚝다다다다다

역시
좋지?
뚝다다다다다다
뚝다다다다다다
뚝다다다다다
뚝다다다다다다

야, 타마다—!!
오늘 S전문대 애들이랑 단체 미팅….
패스!!
?
온다!!
다
다
다
온다 온다 온다 온다!!
다
다
헉
헉
철컹
철컹
철컹
헉
헉
헉
아….

혹시…
타마다 씨 되십니까?

제가 타마다
인데요!!

찌이이익

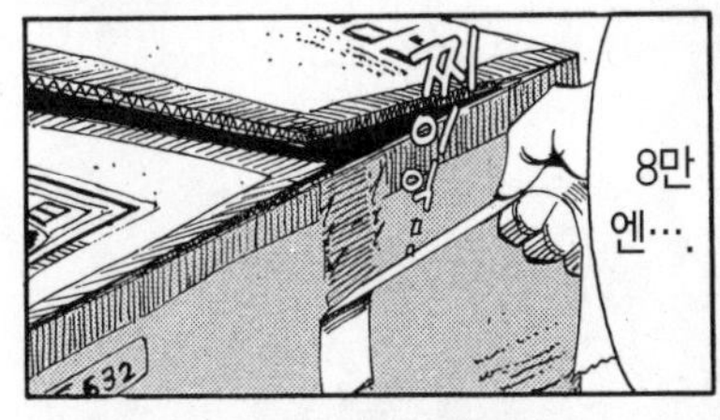
찌이익
8만 엔….

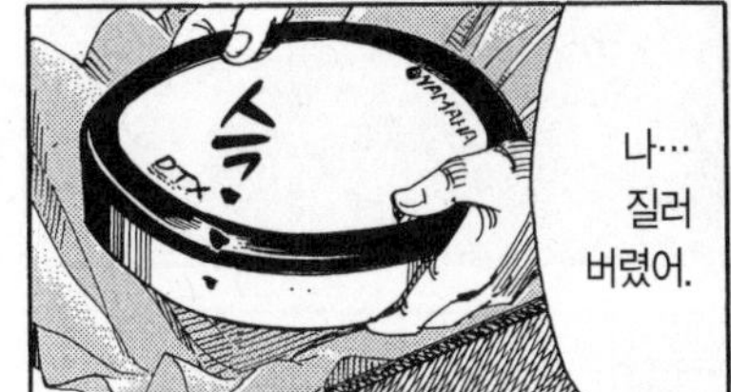
슥
나… 질러 버렸어.

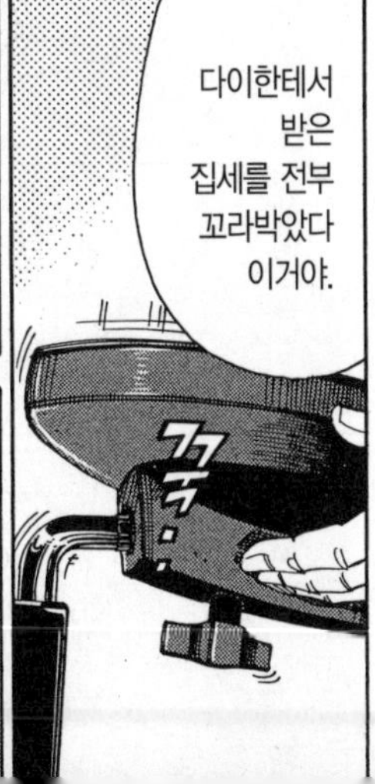
다이한테서 받은 집세를 전부 꼬라박았다 이거야.
꾹

이젠 물러날 수 없어.
끽 끽

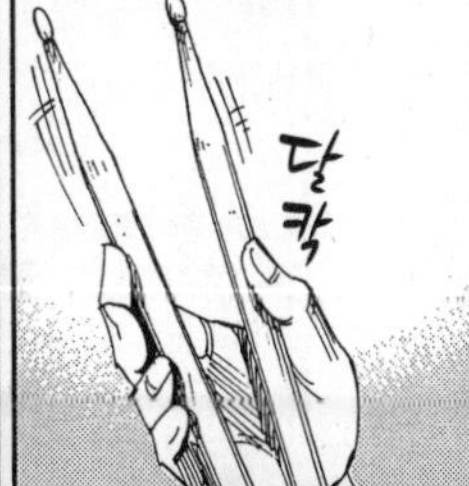
달칵

물러날 생각 따위
없지만 말이야.
꽈악

오오~!!

…
하이햇….
페달
밟고….
꾹…
탁
탁탁탁탁
투다다다
투다다다

뚜다다다뚜다다다
뚜다다다뚜다다다
뚜다다다
다이도…
유키노리
도…
뚜다다다
뚜다다다
뚜다다다
굉장했어.

개네랑
같은 레벨에
오르는 게
무리란
것쯤은
뚜다다다
뚜다다다
뚜다다다
나도
알아….

뚜다다다
뚜다다다뚜다다다

발끝
정도
….
뚜다 뚜다다 뚜다다다
언젠가…
뚝
개네
발끝

정도까지는…!!
파앗

제39화 WISH

그러
니까…

오른손으로
하이햇을
여덟 번
치는 동안…

왼손으로
스네어를
두 번…

오른발로
베이스
드럼을
네 번….

이 세 가지
동작이
8비트….
…좋았어.
처음 배우는
드럼
DVD & CD
Drums

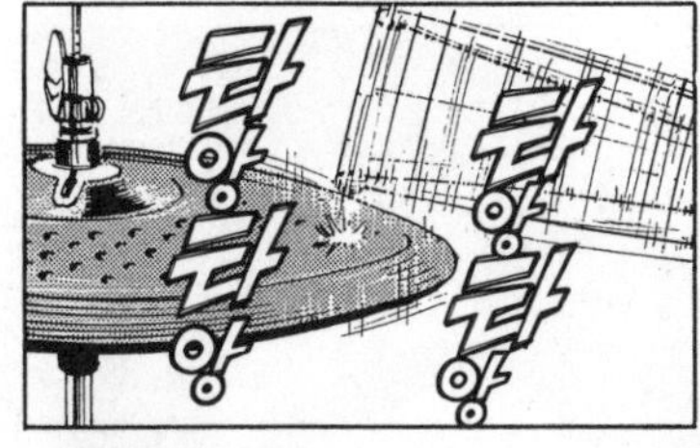
타앙 타앙
타앙 타앙

두웅
두웅

제39화
WISH

멈칫…
크….
왜…
멈추지?!
다시 한 번,
다시 한 번!!
챙! 챙!
챙! 챙!
둥 둥
탕
DTX
윽….
크…!!
챙! 챙!
챙! 챙!
둥 둥 둥
탕 탕 탕

…나…
왜
이 모양
이지…?

이런…
기본 키조차
못 하겠어…!!

으아~….
머리
아파
….
…………
드럼
시작한
뒤로
학교에
통 나가질
않았네.
양손,
양발,
네 개….
뇌도
네 개는
있어야
하나…?
그러고
보니까
나…

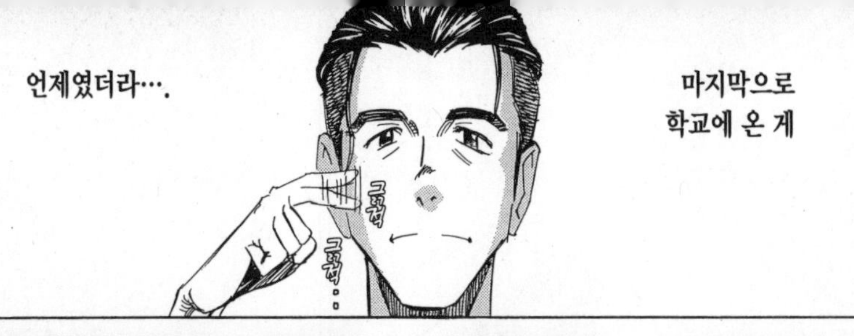
마지막으로
학교에 온 게
언제였더라….
긁적
긁적..

이게
이렇게 생긴
건물이었나?
뚜벅
뚜벅

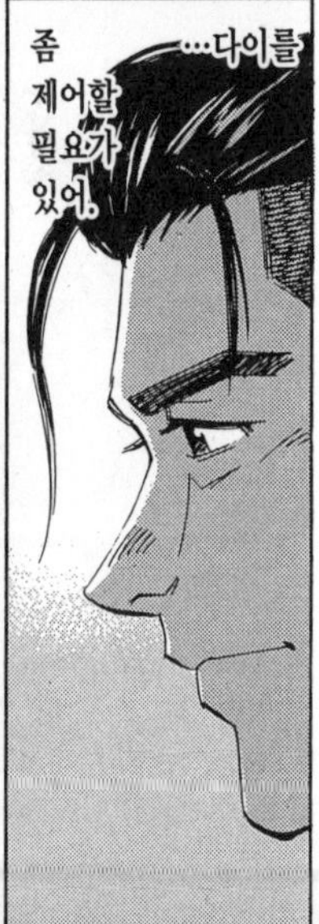
…다이를
좀
제어할
필요가
있어.

다이는
소리의
전달력도
스케일도
일반
재즈 이론에
없을 뿐,
넓은 범위로
잡으면
성립해….

아니…
성립하는
것
정도가
아니라…
다이스러움…
기백이
있지만.
단…
그대로 놔두면
폭주하다가…
뚜벅

언젠가…
사고를 치는 수가 있어.

그걸 저지하기 위한 범위 설정.
그걸 위한 드러머가 필요해…
뚜벅
뚜벅

다만…
절대…

세이큐 JAZZ 연구회
생초짜는 안 돼.

안녕하세요—.
달그락
달그락

우와… 유키노리 아냐?!
1학년 주제에 너 대체 어디서 뭐 하고 다녔냐?!

그냥요.
또 마작이냐.

맞아, 유키노리. 너 다음 주 시간 있어?
다음 정기연주회, 나갈 수 있지?
네?
무리 인데요.

가끔 좀 실력 발휘 좀 해주라~!!
피아노!!
그럼 이렇게!!
응?!
빌게!!

저…
걔 어딨죠?
걔? 누구?
우에노요.

어디 보자—.
……
새싹….

새싹 음악교실
여기군.

안녕하세요—.
예, 잠시만 기다리세요.
금방 깹니다.
……
저….
……
삐익
접수
INFORMATION

예.
척
뭘 도와
드릴까요?

저…
제가요…
완전
초보자인데…
여기 드럼
레슨이
한 달에
5천 엔이라고
인터넷에서
보고
왔는데요
….

예, 맞습니다.
그룹 레슨
말씀이군요.
마침 4시부터
레슨이 있는데요,
체험 레슨
한번 받아보고
가실래요?
천 엔밖에 안 하니까
싼데요.
그…

글쎄…요….

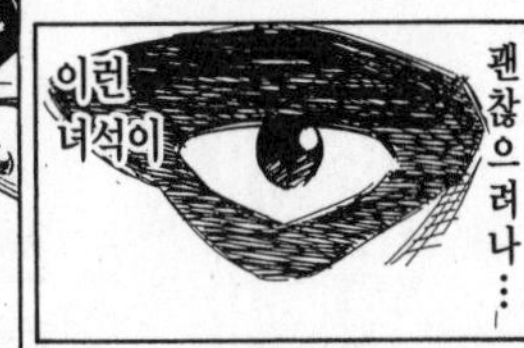
괜찮으려나….
이런
녀석이

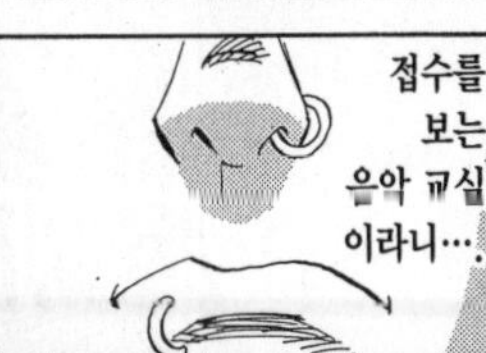
접수를
보는
음악 교실
이라니….

………
………
…겨, 겨우
천 엔인걸.
어차피
체험
레슨이고….
꿀꺽

부——
부탁드려요!!
예, 그럼
3번 교실로
들어가세요.

꺄하하하!
……
나 여깄~다

꼬맹이가 득실득실… 아니,
엉덩이 드럼
꺄 꺄 꺄
꼬맹이들 밖에 없잖아.
착 싹 착 싹

…응?
아짱 거야.
그 자리.
아짱 거야.
자—.
그럼 시작할게요—.
엥….
아… 그래? 미안.
서… …엥.
선생님이야?!
NO 비밥

자, 그럼
선생님한테
맞춰서
8비트부터
시작할게요—.
네—.
오케이—.

새로 오신
형아는
할 수 있는 만큼
최대한
맞춰보세요.

아…
네.

타둥타둥타둥타두
앙둥앙둥앙둥앙웅

미짱!!
베이스 드럼
꼭
밟아야지—!!
케이지는
스네어 림은
치지 말고!!

…하…
할 수 있는
만큼
최대한….

어… 어디 보자—!!
여길…!!

이런…
둥 둥 둥
느낌으로 …?

킥킥킥…

킥—킥킥킥!!
두둥 땅 두둥 두둥 땅
큭… 옆자리 꼬맹이…
완전 비웃고 있네…
둥 둥

힐끗…

저 여자애도
두둥 땅
두둥
멀쩡히 치고 있는데…
땅

왜…
어째서…

자, 그럼 5분간 휴식이에요—.
네—!!
뿌우
뿌우
휴우~ :
좀 어떠셨나요?
전혀… 애들처럼도 못 하겠어.
드럼.
좀 어떠셨나요?
아니… 그게… 전혀….
네 개의 뇌가
전혀 정리가 안 돼서요.
……?
네? 네 개의 뇌라뇨?

…과연. 그런 거군요. 그건 말이죠,
너무 어렵게 생각하시는 거예요.
네…?
8비트 한번 해보세요.
아… 네…. 어디….

챙챙챙챙챙챙챙챙
둥둥둥
둥
큭….
크윽….
킥킥킥….
으….
그만.
알겠습니다.
엥?
베이스 드럼을 네 번이 아니라 그 절반,
두 번으로 줄이죠.
하이햇 두 번에 스네어 한 번.
다음은 하이햇 두 번에 베이스 드럼 한 번.
그걸 천천히 해보세요.
천―천히.
아… 네.

챙
챙
챙
챙
두웅
자.
베이스
드럼
—.
챙
챙
탕
스네어
—.
베이스
드럼.
챙
두웅
챙
스네어.
탕
챙
챙
베이스.
스네어.
베이스.
스네어.
…어?!
탕 챙 두웅 챙 탕 챙 두웅 챙
베이스.
스네어.
베이스.
챙 챙 챙 챙
스네어.
탕 두웅
……
오…
탕 챙 두웅 챙
오오오오오!!
두웅
탕
챙 챙

오오오오오~!!
두웅
탕앙
챙
챙
챙
챙
챙
챙
챙
두웅
탕앙
두웅
탕앙

하…하하!!
선생님…!!
이렇게 하는 겁니다.
한 개의 뇌로 하면 돼요.

아짱, 못해.
?!
아짱, 그거 못해.
오빠,
잘해.

하나— 둘!!
TAKETWO
드르륵
전자 드럼 셋을 다 사다니 말이야~.
게다가 8만 엔이나 하는 걸~ 너도 참!!
……
응… 뭐.
맞다, 타마다. 이거 너 주는 거야.
응?
엘빈 존스라는 드러머의 CD야.
타마다, 오늘부터는 너도 드러머잖아.
아니거든.
?

우리 학교 재즈 연구회 드러머,
우에노 군이야.
안녕!
뭐어?
무슨 소리야?!

'뭐어?' 는 무슨 '뭐어?' 야, 다이.
네가 멋대로 타마다 군을 데려왔잖아.
그래서 난 나대로 우에노를 데려왔다 이거야.
……

우에노, 그럼 당장 드럼 좀 부탁해.
다이, 시작 한다.
잠깐만 있어봐!! 타마다가 있잖아!!

있잖아, 타마다 군.
타마다 군은 자기 드럼의 역량을 알잖아.
그리고 말이야, 난 다른 드러머를 원하거든.
타마다 군이랑 우에노 둘 중 어느 쪽이 위인지 스스로 판단했으면 좋겠어.
어때?
공평하지?

…그야 잘 치겠지.
아니 뭐랄까…

우에노가 끝내주는 드러머인지 아닌지조차 난 잘 몰라….

확실히…
재즈의 드럼…

재즈 드럼 이지만 …
유키노리가 말한 느낌—.

자유자재란 느낌이— 난 안 느껴져.

유키노리—
진심이야?! 대체 뭐냐니까?!

쳇!! 우에노 자식, 헐레벌떡 따라오는 게 고작이냐—.

완전 숨넘어 가려고 하잖아…!!
우에노, 좀 따라와 주라.

뭐 어때.
생초짜를 쫓아버릴 수만 있으면… 그거면 족해.

야, 다이!!
방금
벗어났지,
뭐야 너?!
!!

?
일부러
끈 거야!!
전체적으로
분위기를
띄우려고.
허억
허억
유키노리
넌 왜
안 따라오는
거야?!
유키
노리
군한테
…
맞지적을
하고
있어….

분위기를
띄우려고?!
혼자
앞서 나간
것뿐이잖아!!
아니,
방금 그건
맞출 수
있었어!!
너라면 맞출 수
있었을 거야.
우물쭈물
뭐 하는
거야?!
?!
?!
재즈를
팽개치고
가버리면
어떡해,
멍청아!!
그러는 너나
얼른 나와!!
재즈의 무대로
나오란
말이야!!

재즈는
외부와의 승부야,
멍청아!!
내전이나 벌이면서
무슨 수로
치고나가?!
무대 위에서
승부하면
되잖아!!

이…
있잖아…

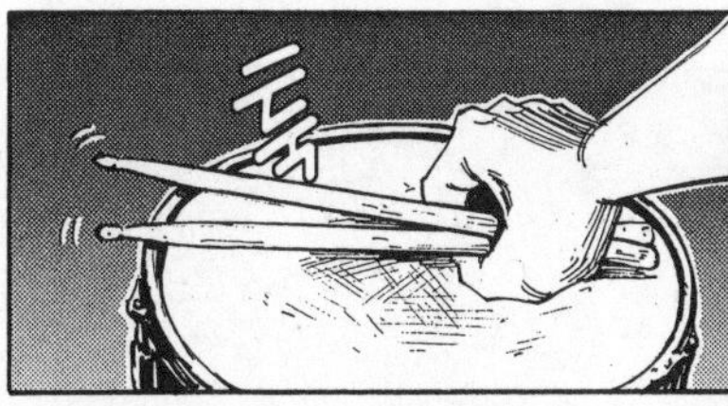
툭

너희
둘 다…
좀…
너무
굉장
하달까…

너희
레벨이
너무
높아서…
나로선…
도저히…
무리야.
아냐…
잠깐,
우에노.

유키노리 군,
미안.
나, 서클로
돌아갈게.
자…
잠깐,
우에노!!

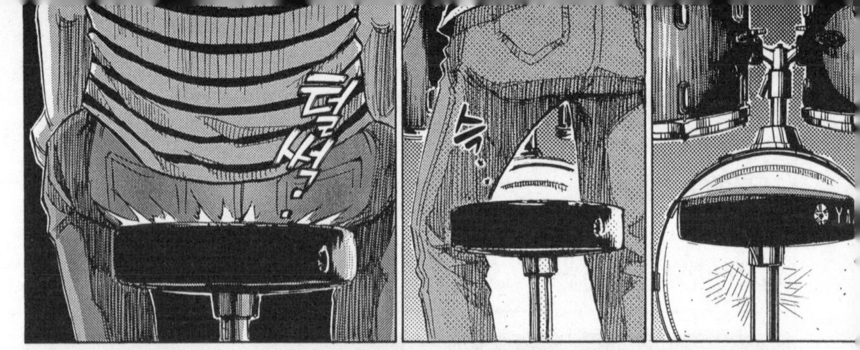
털썩..

너…
어디 앉는 거야?

왜
네가 거기 앉아?

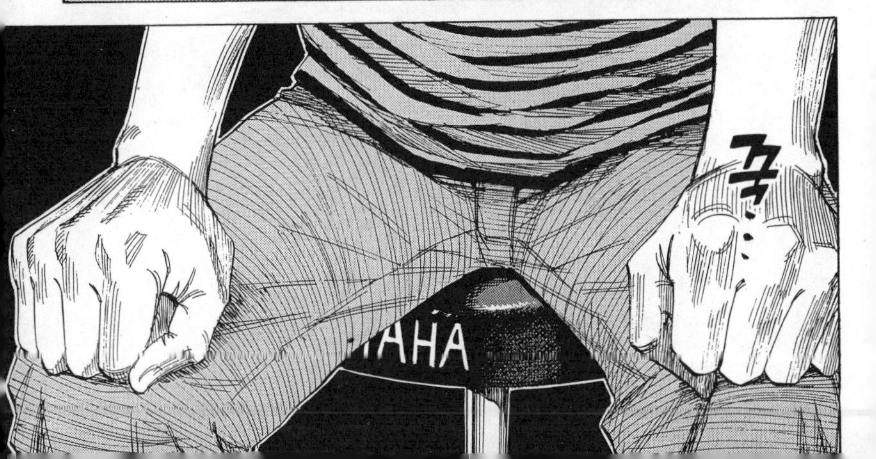
꾹…

제 40 화
JAZZ
EDUCATION

거긴 말이야 타마다 군, 드러머가 앉는 자리거든.

우에노의 연주를 듣고 알았을 텐데? 드럼은 적어도….
다녀 왔어.
응?

드럼 레슨…
음악 교실에 다녀왔어.

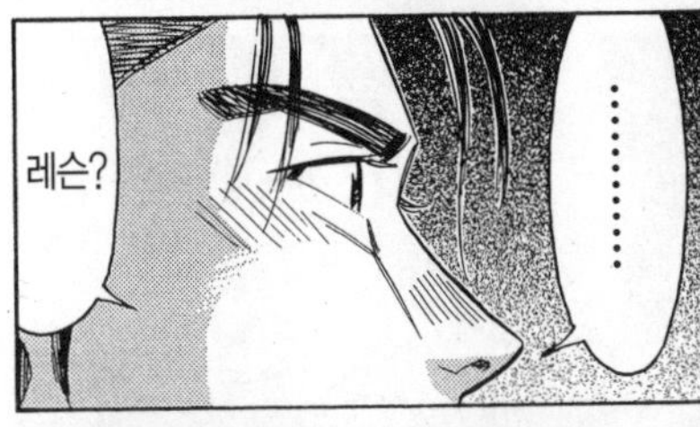
………
레슨?

응.
아, 그래.
그래서?

꼬맹이…
어린애들 밖에 없는 교실이었지만

내가…
콰악

제일 실력이 별로 더라고.

아. 그래….
그래서?

내 실력은 잘 알았어.
지난주 너희랑 같이 해보고… 너희가… 다이랑 유키노리가 끝내준다는 것도

잘 알았어.

다만…
너희랑 같이 해봤을 때

어쩐지…
재즈가…

역시…
좋다는 생각이 ….

…………
쳇…

야, 다이!!
네가 확실히 알아듣게 설명해!! 우리의 한정된 시간 얘기를….

―?!
뭐야, 너?
그 얼굴….

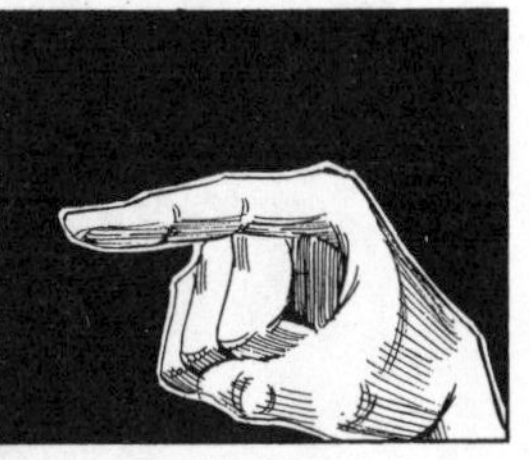

타마다.
이 스피드… 할 수 있겠어?
딱 딱 딱 딱 딱 딱 딱 딱

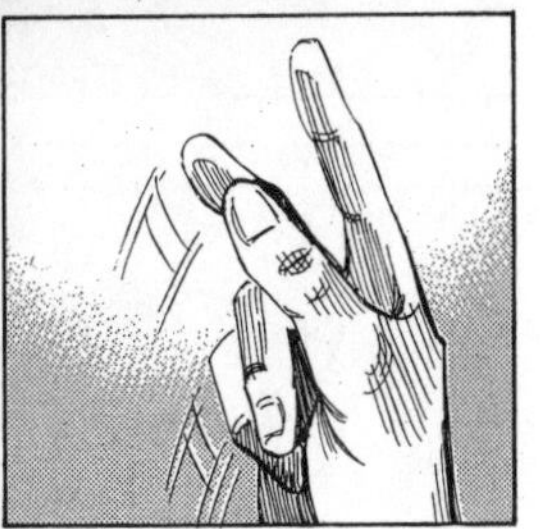

야!!
다이!!

그럼 이건?
아… 그거면… 아마도.
딱 딱 딱 딱
……

아니, 다이… 그건,
좀 빨라….

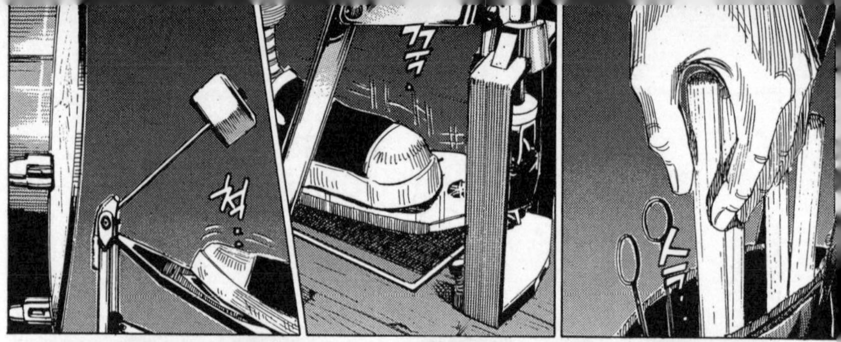
꾹
철
척
스윽

준비 자세는
딱, 딱, 딱 …이라.
제대로 됐군….
딱·딱·딱·딱

타앙
두웅
타앙
두웅

……
두웅
타앙
두웅
호오…
좀 하는데….
타앙
좀 한다고 해봤자…
그냥 8비트론….

두웅
타앙
두웅

어…
어때…?

신경 쓰지 마.
온 힘껏…
좀 더…
타앙
두웅

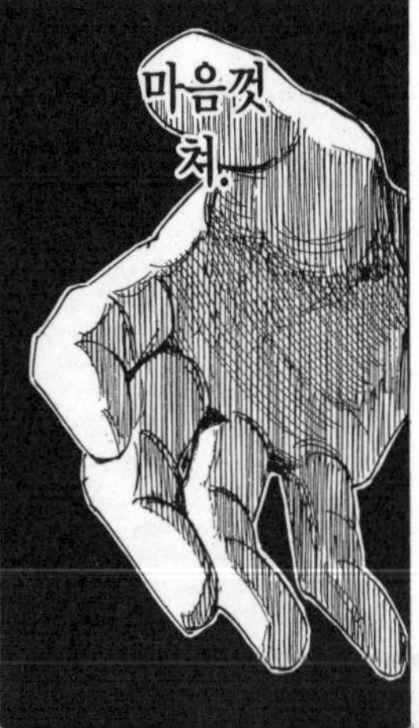
마음껏 쳐.

두웅
타앙
두웅
타앙

두웅
타앙
두웅
타앙
두웅
타앙

두웅
타앙

두웅
타앙
두웅
타앙
두웅
타앙
두웅

쿠웅
콰앙
야, 다이.
너 언제까지 얘….
쿠웅
콰앙
쿠웅
콰앙
어라…?!
야야야!!
간다!!
곡도 키도 너한테 맡길게!!
흥… 어쩔 수 없지.
훌쩍
그럼, 유키노리.
스윽

시…
시작 됐다!!

미스1!!

아차!!
치는 데에 집중해야!!

이 곡은…
〈플라이 위드 더 윈드〉군.

키는 'D'.
딸깍
좋았…어!!
딸깍
딸깍

빠

챙챙챙챙!
챙챙챙챙!
두웅
콰앙!

오…
오오 —!!
미스 2!!
미안!!
……

짜증나게도… 시작된 지 약 4분 뒤부터 지금껏
계속 맞추고 있어. 기적적으로.

그리고…
무엇보다 짜증나는 건…

다이가… 튀지 않아.
드럼의 범위 안쪽에 들어가 착실히 불고 있어.

어디…
그럼 이쯤에서
기어를 체인지 해볼까.
으…
어… 어라?! 뭔가… 변했어…?!
흘끗…

?!......
따라오지
않아.

멋지게 스스로
범위 안쪽에
들어가
절제하고
있어.

…아, 그래.
다이….
약자한테는
맞출 수
있단
말이지….

슥…

……
흐억
흐억
흐억

있잖아, 타마다 군.
타마다 군을 멤버로 삼는 건…

무리야.

……

맞아.

그게 제일
간단해.

그래서 안 되는 거 아냐?
?!……
……?!
응?

지금 여기서 타마다를 쫓아버리는 건 간단해.
재즈의 입구를, 그 길을 좁혀서… 쫓아버리고 또 쫓아버려서 아무도 못 들어오게 하는 거야.

하지만, 그래서…
그래서 안 되는 거 아냐?

그래서 재즈가 점점 더 안 되는 거 아니냔 말이야.

난…
실력이 좋든 별로든…

감동만 할 수 있으면 돼.

…다이.
넌 참 상냥도 하다.

미안하지만 나도 얘기 아직 안 끝났어.
들어 봐.

지금 정식 멤버로 삼는 건 무리야.
하지만 말이야 …

타마다.

연습, 얼마든지 와도 돼.
그 대신 실력을 늘려야 해.
어—?

괘… 괜찮아?
어때?
길 참 넓지?!

힐끗,

타마다….
그거면 되겠어?
응?! 으…응.

유키노리, 그럼 내일 봐!!
그래—.

다이….
언젠가 그 상냥함 때문에 일을 그르칠 수가 있어….

뚜벅

…8비트라.
뚜벅
뚜벅

처음 하이햇을 쳐본 지 이제 겨우 나흘.
나흘 만에…
제대로 8비트를 말이지.

쑥쑥 실력이 느는 법이지, 처음엔.
2단이든 3단이든 단숨에 말이야….

관둬….

음악 교실 같은 건….

유키노리… 괜찮은 녀석이야.
엄청 끝내주는 재즈 피아니스트라니까.

……
그래…

딸깍

빠-
빠빠빠빠

뚜르르 르르
뚜르르르르

네, 사와베 입니다.
여보세요 —.
어머나, 오랜만 이다 얘.
레슨은요? 지금 전화 괜찮아요?
오늘은 8시 피아노 레슨이 끝이야. 지금 드라마 보고 있었지.

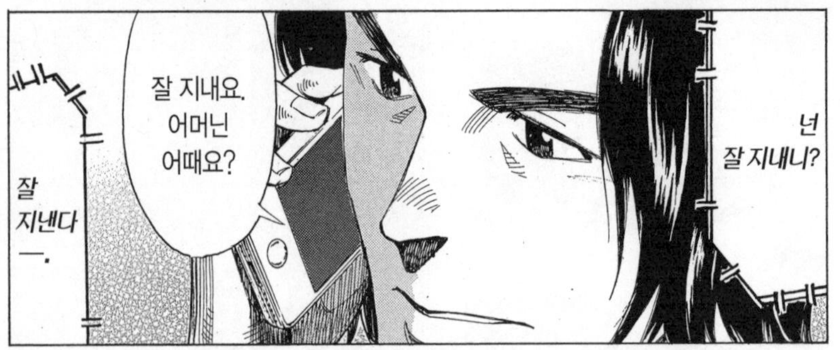
넌 잘 지내니?
잘 지내요. 어머닌 어때요?
잘 지낸다 —.

학교는 제대로 다니니?
있잖아요….
드럼 말인데, 8비트랑 16비트 다음에 뭐 배웠죠?

다음 권에 계속

'눈물의… 스위치' ?!
제 노래가?!
BONUS TRACK
그럴 리가요… 에이.
원래 그런 데가 있었어요, 걔가 좀.
'걔' 라고 부르면 화낼지도…?
Jazz
TAKE TW
눈물 이라뇨… 무슨.
감수성 문제겠죠.

거기 갈 수 있었던 것도 제 덕분?
그럴 리가요….
그건 진짜 오버라니까요.
…하지만… 뭐…
그런 게 좋은 걸지도….
웃기도 잘 웃고, 울기도 잘 울고, 감수성도 풍부하고…
오버도 잘 하는 게….
악기를 연주하는 사람은
좀 오버도 잘 하는 게 딱 좋을지도요.

MINGUS
레코드? …예. 꺼내서 들었죠.
특별히 자주 들은 레코드…?
글쎄요…? 그런 건 없지 않았나 싶네요….
전부 좋다, 전부 마음에 든다고 했던가?
특별히 레코드 갖고 이러쿵저러쿵 한 적은 없었던 것 같은데….
…예.
그건 기억 나죠.
제가 선물한 레코드잖아요?
…어머, 기뻐라. 종종 연주한대요? …그걸 선물하길 잘했네요.

글쎄요…
이 레코드들은 이제… 평생을 함께할 수밖에 없겠죠.
걔가 있죠… 저한테 이런 얘기를 하더라고요.
전 행복한 사람…이래요. 레코드에 둘러싸여 사는 것은
재즈 연주자들과 함께 사는 것과 마찬가지라면서요….
MONK
MONK.

영 코믹스

BLUE GIANT 5

2017년 6월 30일 초판 발행 2023년 11월 14일 3쇄 발행

저자 ········· Shinichi ISHIZUKA

번 역 : 김동욱 발행인 : 황민호
콘텐츠1사업본부장 : 이봉석
책임편집 : 장숙희/김정택
발행처 : 대원씨아이(주)
서울특별시 용산구 한강대로 15길 9-12 전화 : 2071-2000 FAX : 797-1023
1992년 5월 11일 등록 제1992-000026호

ISBN 979-11-334-5245-3 07830
ISBN 979-11-5754-065-5 (세트)

· 문의 : 영업 2071-2075 / 편집 2071-2026